KATERIN KATERINOV
MARIA CLOTILDE BORIOSI KATERINOV
professori associati presso
l'Università Italiana
per Stranieri di Perugia

LA
per
con l... ....
nell'italiano d'oggi
(regole essenziali, esercizi ed
esempi d'autore)

con la collaborazione di:
Laura Berrettini
Mauro Pichiassi
Giovanna Zaganelli

ricercatori presso l'Università
Italiana per Stranieri di Perugia

CORSO ELEMENTARE ED INTERMEDIO
(le 2000 parole più usate)

4ª EDIZIONE, 1985
EDIZIONI GUERRA, PERUGIA

Paese che vai, problemi che trovi

Sig. Miller: In questo paese non si può più vivere!

Sig. Rossi : Non esageriamo! La situazione non è certo tranquilla, ma non è peggiore di quella di altri paesi.

Sig. Miller: Come fa a dirlo? Basta aprire il giornale: attentati, scippi, rapine, omicidi, sequestri, atti di terrorismo ...

Sig. Rossi : Intende dire che qui il sistema democratico non funziona?

Sig. Miller: Appunto! In un paese dove ci sono più poveri che ricchi, non esiste una vera democrazia.

Sig. Rossi : Ma qui abbiamo l'arma dello sciopero per protestare contro le ingiustizie sociali.

Sig. Miller: Infatti quasi ogni giorno c'è uno sciopero, ma in effetti nulla cambia.

Sig. Rossi : Le conquiste in campo economico e sociale sono lente: è più facile conservare che cambiare una situazione.

Sig. Miller: Secondo me, nel mio paese i sindacati sono più forti di quelli vostri.

Sig. Rossi : Forse perché sono d'accordo sulle rivendicazioni da avanzare al governo.

Sig. Miller: Quali sono i motivi per cui si sciopera di più?

Sig. Rossi : I contratti di lavoro delle varie categorie, le pensioni, l'aumento del salario e la riduzione dell'orario di lavoro.

Sig. Miller: Se non sbaglio, c'è un numero altissimo di disoccupati, soprattutto tra i giovani.

Sig. Rossi : In effetti il problema più grosso è la difesa del posto di lavoro. Con le nuove tecnologie e con la crisi di certi settori, c'è sempre minore bisogno di manodopera.

Sig. Miller: In questo senso la situazione del mio paese non è migliore di quella dell'Italia.

Lessico nuovo: quindicesimo - esagerare - tranquillo - peggiore - attentato - scippo - rapina - omicidio - sequestro - terrorismo - intendere - sistema - funzionare - appunto! - povero - ricco - democrazia - arma - protestare - contro - ingiustizia - sociale - conquista - campo - lento - sindacato - rivendicazione - avanzare - scioperare - contratto - riduzione - grosso - difesa - tecnologia - crisi - settore - minore - manodopera.

Termini tecnici: comparazione.

quindicesima unità
(unità numero quindici)

i gradi di comparazione – gli interrogativi

II   *Ora ripetiamo insieme:*

– In questo paese non si può più vivere!

– Non esageriamo!

– Come fa a dirlo?

– In un paese dove ci sono più poveri che ricchi, non esiste una vera democrazia.

– È più facile conservare che cambiare una situazione.

– Quali sono i motivi per cui si sciopera di più?

– Se non sbaglio, c'è un numero altissimo di disoccupati, soprattutto tra i giovani.

III   *Rispondete alle seguenti domande:*

1. Perché, secondo il signor Miller, in Italia non si può più vivere?
2. Cosa risponde il signor Rossi?
3. Perché, secondo il signor Rossi, l'arma dello sciopero non sempre serve a cambiare le cose?
4. Quali sono i motivi per cui si sciopera di più?
5. Qual è il problema più grosso oggi?
6. Da cosa dipende il sempre minore bisogno di manodopera?

IV   *Gradi di comparazione.*

A. Comparazione fra due nomi o pronomi.

La famiglia del signor Rossi è composta di cinque persone: lui, la moglie e tre figli.
Il più grande si chiama Livio ed ha sei anni, il secondo si chiama Carlo e ne ha quattro, il più piccolo si chiama Marco e ne ha solo due.

Lessico nuovo: –

Marco è piccolo: è *il più piccolo dei* tre fratelli.

Carlo è *più grande di* lui, ma *meno grande di* Livio.

Livio è *il più grande dei* tre fratelli.

Marco　　　　Carlo　　　　Livio

Carlo pesa *più di* Marco e *meno di* Livio.

Livio pesa *più di* Carlo e *di* Marco.

Marco pesa *meno di* Carlo e *di* Livio.

Il papà e la mamma sono giovani.
Lui è *più grasso di* lei.
Lei è *più magra di* lui e dei figli: è *la più magra di* tutti.

Il papà è alto un metro e settanta.
Anche la mamma è alta un metro e settanta.
Lui è alto *quanto* lei, ma lei pesa *meno di* lui.

1. Ora trasformate le frasi secondo il modello:

> Il signor Rossi ha 38 anni; sua moglie ne ha 35.
> Sua moglie *è più giovane di* lui.

(giovane)

1. Franco si arrabbia spesso; Anna si arrabbia di rado. — *raramente, rarely*
.... (calma)

2. Voi lavorate solo quattro ore; io lavoro anche il pomeriggio.
Voi ~~sono~~ siete più liberi di me (liberi)

3. Il signor Galli vive solo del suo stipendio; suo fratello ha anche due appartamenti e un grosso conto in banca.
Su fratello e più ricco di lui (ricco)

4. Quel libro è del 1972; questo è del 1979.
Quello é più recente di questo (recente)

5. Laura pesa appena 48 chili; Maria ne pesa 60.
.... (grassa)

Lessico nuovo: pesare - grasso - magro.

2. Come sopra:

> Franco prende un milione e mezzo al mese; lo
> stipendio di Anna, invece, è di due milioni.
> Anna guadagna più di Franco.   (guadagnare)

1. Di solito io vado a letto tardi; lui, invece, ci va
   alle undici. *(meno)*
   Io dormo più di lui   (dormire)

2. Marco accende una sigaretta dopo l'altra; a Sergio,
   invece, un pacchetto dura due giorni.
   Marco fuma (meno) più di Sergio   (fumare)

3. L'orologio costa duecentomila lire; il bracciale,
   invece, costa trecentomila lire. *meno*
   il bracciale vale più dell'orologio (valere)
   spends a lot of money without thinking

4. Il marito di Paola ha le mani bucate; lei, invece,
   compra solo ciò che serve veramente.
   Il marito di Paola spende più di lei   (spendere)

5. Lui ha sempre appetito; lei, invece, salta molte
   volte la cena. *(meno)*   *saltare la cena*
   Lui mangia più di lei   *to skip a meal*
           (mangiare)

3. Trasformate le frasi dell'esercizio precedente, sostituendo "meno" a "più":

1. ....

2. ....

3. ....

4. ....

5. ....

Lessico nuovo: milione.

4. Trasformate le frasi secondo il modello:

> Giulio è alto un metro e settanta. Anche Franco è alto un metro e
> settanta.
> Giulio è alto *quanto* Franco.   *come*
> Giulio pesa settantadue chili. Anche Franco pesa settantadue chili.
> Giulio pesa *quanto* Franco.

1. Marta è brava. Anche Luisa è brava.

   Marta é brava come Luisa

2. Remo spende molto. Anche Lucio spende molto.

   Remo spende quanto Lucio

3. Quel bambino è tranquillo. Anche sua sorella è tranquilla.

   Quel bambino è tranquillo come sua sorella

4. Il film dura due ore. Anche il concerto dura due ore.

   Il film dura quanto il concerto

5. Il tuo lavoro è difficile. Anche il mio è difficile.

   Il tuo lavoro é difficile quanto il mio

B. Comparazione fra due aggettivi o verbi.

– Quella macchina sarà anche bella, ma non è comoda.
– Sì, come tutte le auto sportive, è *più* bella *che* comoda.

– Secondo me, viaggiare con quella macchina è *più* scomodo *che* andare
  con una utilitaria.

– Dopo l'incidente Sergio era *più* morto *che* vivo dalla paura.

– Per me è *più* interessante imparare la lingua viva *che* studiare a fondo la
  grammatica.

Lessico nuovo: comodo - auto - scomodo - utilitaria (s.) - morto - vivo - grammatica.

1. Completate le frasi secondo il modello:

> Quel ragazzo è veramente spontaneo?
> Secondo me, è più falso che spontaneo.   (falso)

1. Quel lavoro è veramente interessante?

Secondo me, È più conveniente che interessanta   (conveniente)

2. Quel dentifricio è veramente buono?

Secondo me, È più famoso che buono   (famoso)

3. Quel regalo è veramente utile?

Secondo me, È più divertente che utile   (divertente)

Secondo me, 4. Quella signora è veramente antipatica?

                     (simpatica)

5. Quel viaggio è veramente necessario?

Secondo me, è   (piacevole)

2. Come sopra:

> Per me è più facile parlare che scrivere.   (parlare-scrivere)

1. Per me è più semplice .... *che* (riscrivere-correggere)
2. Per me è più noioso .... *che* (lavare-cucinare)
3. Per me è più bello .... *che* (dare-ricevere)
4. Per me è più normale .... *che* (parlare piano-gridare)
5. Per me è più difficile .... *che* (smettere-cominciare)

C. Comparativo di quantità.

– In quel paese ci sono più poveri *che* ricchi.
 In quel paese i poveri sono più *dei* ricchi.

– Di solito beviamo più tè *che* caffè.

– Ho più cassette *che* dischi.

– Questa situazione presenta più vantaggi *che* svantaggi.

Lessico nuovo: quantità - vantaggio.
Termini tecnici: comparativo.

1. Formate delle frasi secondo il modello:

> In Italia la gente mangia più carne che pesce.　　(carne - pesce)

1. Nel mese di giugno abbiamo avuto *più pioggia che sole* (pioggia - sole)
2. Ormai ci sono *più operai che contadini* (operai - contadini)
3. In alcuni paesi del Sud ci sono *più vecchi che giovani* (vecchi - giovani)
4. D'estate beviamo *più bibite che liquori* (bibite - liquori)
5. Esistono *più mestieri che professioni* (mestieri - professioni)

D. Superlativo relativo.

– Ci sono tanti problemi da risolvere.
– Sì, e *il più grosso* è la difesa del posto di lavoro.

– In dicembre le giornate sono molto corte.
– Infatti il 13 è *il giorno più corto* dell'anno.

– Nella Sua città il clima è umido o secco?
– Purtroppo è *il più umido* di tutta l'Italia.

– Ormai sono rare le spiagge pulite.
– È vero, ma questa è *la più sporca* di tutte.

1. Rispondete alle domande secondo il modello:

> È vero che Giulio è tanto occupato?
> Sì, è *il più occupato* di tutti.

1. È vero che Sergio è tanto stanco?

2. È vero che Rita è tanto calma?
   È la più calma di tutti

3. È vero che quel televisore è tanto perfetto?

4. È vero che quell'impiegata è tanto gentile?
   Sì, è la più gentile di tutti

5. È vero che quell'albergo è tanto caro?
   Sì, è il più caro di tutti

Lessico nuovo: corto - umido - secco - raro - pulito - sporco.
Termini tecnici: superlativo.

E. Superlativo assoluto di aggettivi e avverbi.

1.

– Il numero dei disoccupati è *alto* da voi?
– Sì, è *molto alto.*
– Anche da noi è *altissimo.*

– La macchina di Roberto è *comoda.*
– La macchina di Stefano è più comoda della sua: è *molto comoda.*
– La macchina di Stefano è *comodissima.*

– Mario è *intelligente*, non è mica stupido!
– Carlo, però, è più intelligente di Mario: è *molto intelligente.*
– Carlo è *intelligentissimo.*

– Luisa è *magra:* pesa soltanto 54 chili.
– Franca, però, è più magra di Luisa; è *molto magra:* pesa soltanto 48 chili.
– Franca è *magrissima.*

– Ti mancano *poche* pagine per finire il libro?
– Sì, me ne mancano *pochissime.*

alto	comodo	intelligente	magro	poco
altissimo	comodissimo	intelligentissimo	magrissimo	pochissimo

2. Rispondete alle domande secondo il modello:

> La moglie di Rossi è davvero tanto bella?
> Sì, è bellissima.

1. Oggi, l'aria è davvero tanto calda?
   Sì, *è caldissima*

2. Quel film è davvero tanto lungo?
   Sì, *è lunghissimo*

3. L'esame di francese è davvero tanto facile?
   Sì, *è facilissima*

4. Quell'albergo è davvero tanto caro?
   Sì, *è carissimo*

5. Questi francobolli sono davvero tanto rari?
   Sì, *sono rarissimi*

Lessico nuovo: intelligente - stupido - aria - pagina.
Termini tecnici: avverbio.

3.
- Il padre di Paolo sta davvero tanto male?
- Sì, sta *malissimo*.
- Questo vestito mi sta davvero bene?
- Sì, ti sta *benissimo*.
- Vi alzate presto la mattina?
- Sì, ci alziamo *prestissimo*.
- Ti piace davvero molto la birra?
- Sì, mi piace *moltissimo*.

adverbs

4. Ora rispondete alle domande secondo il modello:

> Ti manca davvero poco per finire?
> Sì, mi manca pochissimo.

1. Quell'orologio costa davvero tanto?
   Sì, ...

2. Vai davvero piano in macchina?
   Sì, *vado pianissimo*

3. Avete fatto davvero tardi ieri notte?
   Sì, *habiamo fatto tardissimo*

4. Esci davvero spesso la sera?
   Sì, ...

5. Pioveva davvero forte poco fa?
   Sì, *piovea fortissimo*

F. Forme particolari di comparazione.

- La situazione del mio paese
  non è *più buona* di quella
  dell'Italia.

- La situazione dell'Italia non è
  più cattiva di quella di altri paesi.

- Livio è il fratello *più grande*.

- Marco è il fratello *più piccolo*.

- Il numero dei disoccupati è *più alto*
  di quello degli altri paesi europei.

- L'aumento del costo della vita
  è *più basso* della media.

- La situazione del mio paese
  non è *migliore* di quella dell'Italia.

- La situazione dell'Italia non è
  peggiore di quella di altri paesi.

- Livio è il fratello *maggiore*.

- Marco è il fratello *minore*.

- Il numero dei disoccupati è *superiore*
  a quello degli altri paesi europei.

- L'aumento del costo della vita
  è *inferiore* alla media.

Lessico nuovo: europeo - superiore - inferiore - media.

1. Ed ora completate le frasi secondo il senso:

1. Nel caso _peggiore_, dovrai ripetere l'esame.
2. Siamo contenti perché l'esito del nostro lavoro è stato _superiore_ alle attese.
3. Nella bassa stagione gli alberghi praticano prezzi _minore/inferiore_
4. Questo mese il tempo è stato _peggiore_ del mese scorso: è piovuto quasi ogni giorno.
5. Voi state male, ma la nostra condizione non è certo _migliore_.

G. Forme particolari di superlativo.

– Giorgio sembra allegro oggi.
– Sì, è di *ottimo* umore.

– Questa stoffa non è molto buona.
– Infatti è di *pessima* qualità.

– Sai chi è Dante Alighieri?
– Certo! È il *massimo* poeta italiano.

– Ho un sonno molto leggero: al *minimo* rumore mi sveglio.

Osservate!

buono	migliore	ottimo
cattivo	peggiore	pessimo
grande	maggiore	massimo
piccolo	minore	minimo

1. Ed ora completate le frasi secondo il senso:

1. Molte persone hanno la _pessima_ abitudine di non presentarsi quando chiamano al telefono.
2. Il prezzo _minimo_ che possiamo farLe è seicentomila lire.
3. Con questo traffico bisogna guidare con la _massima_ attenzione.
4. Sai dove potrei trovare Carlo? No, non ne ho la _minima_ idea.
5. L'occasione è _ottima_; non dovete perderla.
6. Parlando in quel modo di Franca, le hai reso un _ottimo_ servizio.
7. Continua a raccontare! Ti ascolto con il _massimo_ interesse.
8. Non abbiamo la _minima_ intenzione di rinunciare alle vacanze.
9. La figlia dei nostri amici ha fatto un _ottimo_ matrimonio ed ora fa la signora.
10. Sono in molti ad avere una _pessima_ opinione di lui, ma per me è una brava persona.

Lessico nuovo: allegro - umore - pessimo - poeta.

DA= FOR,
occhiale DA SOLO

V

1. Completate le frasi con le forme convenienti del comparativo o del superlativo:

1. Hai sentito il concerto ieri sera? Sì, è stato ...*bellissimo*... (bello)
2. Giulio è simpatico, però Carlo è ancora *più simpatico di* lui. (simpatico)
3. Per andare in centro, questa strada è *più breve di* quella. (breve) *because it has already the article*
4. Ti piace davvero questo vino? Sì, è ...*buonissimo*... (buono)
5. Napoli è *più calda di* Roma e ...*di*... Milano. (calda) *The possessive needs the article*
6. Franco è ...*minore di*... nostri figli. *il più giovane dei* (giovane)
7. Lui è *bravissimo*, invece lei non va molto bene a scuola. (bravo) *except for singular members of the family*
8. Per me la difficoltà *maggiore* è la pronuncia. (grande)
9. I miei genitori abitano al piano *superiore* (alto)
10. Maria deve star male: ha un ...*pessimo*... aspetto. (cattivo) *mio zio*

2. Completate le frasi con le forme convenienti del comparativo:

1. Per me quella ragazza è ...*più interessante que bella* (interessante - bella)
2. In alcuni paesi del Sud ci sono *più vecchi que giovani* (vecchi-giovani)
3. Tra i professori ci sono *più donne que uomini* (donne - uomini)
4. Abbiamo *più conoscenti que amici* veri e propri. (conoscenti - amici)
5. Mi piace più *lavorare que stare* con le mani in mano (lavorare - stare) *not to do anything*
6. È più conveniente *alzarsi* presto *que fare* (alzarsi - fare) *le ore piccole* le ore piccole. *the use hours of the morning*
7. Oggi l'aria è *più umida que fredda* (umida - fredda)
8. Quel tipo di lavoro è *più umida que fredda* (noioso - difficile)
9. Nostro figlio ci dà *più soddisfazioni que problemi* (problemi - soddisfazioni)
10. È uno sport *più faticoso que divertente* (faticoso - divertente)

3. Completate le frasi con "di" o "che" secondo il senso:

1. La mia macchina è più vecchia ...*di*... quella di Sergio.
2. Fra i miei amici ci sono più ragazzi ...*che*... ragazze.
3. Questo lavoro è più interessante ...*che*... conveniente.
4. In questo periodo bevo più birra ...*che*... vino.
5. Capire una lingua straniera è più facile ...*che*... parlarla.
6. Le vostre ferie sono più lunghe ...*delle*... nostre.
7. Mia madre è molto più bassa ...*di*... mio padre.
8. Le mie sigarette sono meno forti ...*di*... quelle tue.
9. Quella ragazza è più bella ...*che*... elegante.
10. Luisa ha più pantaloni ...*che*... gonne.

Lessico nuovo: –

Homework

VI   *Gli interrogativi.*

a.

– *Che* hai detto, scusa? Ero distratto e non ho sentito.
– Ti ho chiesto *che cosa* vuoi fare dopo pranzo.   *CHE?*
– *Che* ne dici di fare quattro passi?   *CHE COSA?*
– Ma non vedi che sta per piovere?   *COSA?*
– *Cosa* ci vuoi fare? Se aspettiamo il tempo bello non
  usciamo mai.

b.

– *Che* clima preferisce, signorina?
– Il clima caldo.
– In *che* paese vorrebbe vivere, dunque?   *CHE?*
– Non saprei. Amo troppo il mio paese per pensare
  di lasciarlo.

c.

– *Quale* di questi vestiti mi sta meglio?
– Quello grigio.
– E tu che vestito ti metti per uscire stasera?
– Non ho vestiti eleganti, perciò mi metterò una gonna
  con una camicia di seta.

d.   *QUALE?*

– Mi sa dire *qual* è il prefisso di Bologna?
– Mi pare 051, ma non ne sono sicura.

e.

– Domani sera ci sarà la "Messa da Requiem" di Verdi.
– *Chi* sono gli interpreti?
– L'Orchestra Filarmonica e Coro di Milano.
– *Chi* dirige l'orchestra?
– Il Maestro Piccini.
– Allora sarà un'interpretazione di altissimo livello.   *CHI?*

– Per *chi* sono questi splendidi fiori?
– Sono per Carla: oggi è il suo compleanno.

Lessico nuovo: grigio - prefisso - parere (v.) - interprete - orchestra - filarmonico - coro -
maestro - dirigere - interpretazione - livello - splendido.

1. Completate le frasi con la forma conveniente dell'interrogativo:

1. .... penna vuoi: quella rossa o quella blu?
2. Per .... prepari questo dolce?
3. .... programma avete per il fine-settimana?
4. Su .... puoi contare in caso di bisogno?
5. Di .... state parlando? Ancora di sport?
6. .... è la strada più breve per il centro?
7. Da .... dipende l'esito di quella faccenda?
8. Con .... vai in macchina a Firenze?
9. .... voleva da te quella signora che ha telefonato?
10. A .... serve lavorare tanto?

f.

– Vedo che hai un paio di scarpe nuove. *Dove* le hai
   comprate?   *DOVE?*
– In via Frattina.
– Scusa la domanda indiscreta: *quanto* le hai pagate?   *QUANTO?*
– Un occhio della testa.
– Di' un po': *quando* smetterai di fare spese pazze?   *QUANDO?*
– *Perché* dovrei rinunciare a cose che mi piacciono?   *PERCHÉ?*
– In fondo hai ragione: si vive una volta sola.

1. Completate le frasi con la forma conveniente dell'interrogativo:

1. .... pagate di affitto per questo appartamento?
2. .... non ti metti mai l'abito marrone?
3. .... potrei trovare un tabaccaio aperto?
4. Staresti meglio senza barba. .... non te la tagli?
5. Per .... deve essere pronto questo lavoro?
6. Da .... viene, signora?
7. .... hai imbucato la lettera che ti ho dato? Alla posta centrale.
8. .... disoccupati ci sono fra i laureati?
9. .... cucchiaini di zucchero metti nel cappuccino?
10. Da .... mesi studi l'italiano?

Lessico nuovo: indiscreto.

VII

1. Completate le frasi secondo il senso:

1. Su .... giornale avete letto quell'annuncio?
2. .... sigarette fumi al giorno?
3. Per .... hai fissato l'appuntamento, Giorgio?
4. In .... direzione dobbiamo andare?
5. Con .... dividi le spese di viaggio?
6. .... dura il corso d'italiano?
7. .... ti ha fatto questa foto?
8. .... quotidiano leggi abitualmente?
9. .... film preferisci? I film gialli.
10. Da .... parte abita Mario?

2. Come sopra:

1. .... potrei trovare un impiego fisso?
2. .... di voi parla bene l'inglese?
3. Di .... legno è questo tavolo?
4. .... mangi di solito per colazione?
5. .... ore ci metti da Firenze a Milano?
6. A .... età hai preso la patente?
7. .... valigia è più pesante? Quella bianca.
8. .... ore sono? Sono le tre precise.
9. A .... avete chiesto un prestito?
10. C'è vino rosso e vino bianco: .... preferisci?

VIII

A. Osservate!

1. La comparazione.

a. *una qualità* o *un'azione* sono riferite a *due nomi* (o pronomi):

La *mamma* è più magra del *papà*.
  Lei pesa meno di *lui*.

Lessico nuovo: –

b. *due qualità* sono riferite ad *un nome:*

Quella macchina è più *bella* che *comoda.*

c. *due azioni* o *due quantità* messe a confronto:

Per me *leggere* è più piacevole che *vedere* un film.
Ho più *cassette* che *dischi.*

d.

Il papà è alto quanto la mamma.	Il papà è	(tanto) (così) alto	quanto come	la mamma.
La mamma è alta quanto magra.	La mamma è	(tanto) (così) alta	quanto come	magra.
Leggere è piacevole quanto vedere un film.	Leggere è	(tanto) (così) piacevole	quanto come	vedere un film.

2. Il superlativo (relativo e assoluto).

Il 13 dicembre è *il* giorno *più corto* dell'anno.
Giorgio è *il più piccolo (il minore)* dei nostri figli.
Dovete finire quel lavoro *il più presto* possibile.

D'inverno le giornate sono cort*issime.*
Giorgio è piccol*issimo*: ha soltanto 10 mesi.
Ci alziamo prest*issimo* ogni giorno, ad eccezione della domenica.

3. Forme particolari di comparazione e di superlativo.

buono	migliore	il migliore	ottimo
cattivo	peggiore	il peggiore	pessimo
grande	maggiore	il maggiore	massimo
piccolo	minore	il minore	minimo

4. Altre forme particolari di superlativo.

Ho lavorato tutto il giorno ed ora non ne posso più: sono *stanco morto!*

<u>sono stanco morto</u>

Che impressione ti ha fatto la moglie di Paolo?
È una brava ragazza, ma è *brutta come la fame!*

<u>è brutta come la fame</u>

Lessico nuovo: –

Franco ha continuato a bere tutta la sera e alla fine era *ubriaco fradicio*.
Ieri Luisa è uscita senza ombrello ed è tornata a casa *bagnata fradicia*.

era ubriaco fradicio
è tornata bagnata fradicia

Marco cambia idea ogni cinque minuti: è proprio *pazzo da legare!*

è pazzo da legare

Perché Luigi esce sempre con Maria?
Perché è *innamorato cotto* di lei.

è innamorato cotto di lei

Quella ragazza ha avuto fortuna: ha sposato un uomo *ricco sfondato* ed ora fa la signora.

un uomo ricco sfondato   fa la signora

Carla ha un armadio *pieno zeppo* di vestiti, ma dice sempre che non ha niente da mettersi.

un armadio pieno zeppo

5. Gli interrogativi.

che?   pronome e aggettivo
quale?   pronome e aggettivo
chi?   solo pronome

Che vuoi fare da grande, Giorgio?   *che?*
Che lavoro vuoi fare da grande, Giorgio?

Qual è il punto debole di questa teoria?   *quale?*
Quali svantaggi presenta la Sua professione?

Chi mi offre una sigaretta?   *chi?*
A *chi* interessa la partita alla tv?

Dove porta questa strada?   *dove?*

Quanto zucchero nel caffè?   *quanto?*

Quando ci daranno un aumento di stipendio?   *quando?*

Perché non dici qualcosa anche tu?   *perché?*

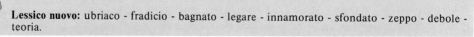

Lessico nuovo: ubriaco - fradicio - bagnato - legare - innamorato - sfondato - zeppo - debole - teoria.

B. Raccontate il contenuto del dialogo introduttivo, completando il seguente testo:

Secondo il signor Miller, l'Italia sarebbe un paese in cui non si può più vivere. Il signor Rossi gli risponde che la situazione italiana non è certo ...., ma comunque non è .... di quella di altri paesi. Il signor Miller continua a dire che in un paese dove ci sono .... poveri .... ricchi non .... una vera democrazia e che, anche se quasi ogni giorno c'è uno ...., nulla cambia. Quando il signor Rossi afferma che è .... facile conservare .... cambiare una situazione, lui risponde che nel suo paese i sindacati sono .... forti .... italiani. Chiede poi al signor Rossi se è vero che c'è un numero .... di ...., soprattutto tra i giovani, e lui gli dice che in effetti quello è il problema .... Il signor Miller aggiunge che in questo senso la situazione del suo paese non è .... quella dell'Italia.

C. Parole con significato contrario.

---
aver ragione ⟷ aver torto

- Lei *ha ragione*! L'italiano è più facile del tedesco.
- Lei *ha torto!* L'italiano non è più difficile del tedesco.

---
caro ⟷ a buon mercato

Qui il vino	è	car*o*. Da noi è	
Qui la benzina	è	car*a*. Da noi è	a buon mercato
Qui i libri	sono car*i*.	Da noi sono	
Qui le case	sono car*e*.	Da noi sono	

---
pieno ⟷ vuoto

- Quale delle due bottiglie è *vuota*?
- Questa; quella, invece, è *piena di* vino.

---
largo ⟷ stretto

- La strada è sempre così *stretta*?
- No, fra pochi chilometri diventa più *larga*.

Lessico nuovo: torto - vuoto - largo - stretto - chilometro.

---
davanti ←——→ dietro

– Chi di voi vuole sedere *davanti*?
– Io, perché Gianni preferisce stare *dietro*.

---
avanti ←——→ indietro

Che ore fai?   Che ore fai?
Sono le quattro precise.   Sono le quattro e dieci.
Allora il mio orologio va *avanti*:   Allora il mio orologio va *indietro*:
fa le quattro e cinque.   fa le quattro e cinque.

---
dentro ←——→ fuori

– Restate *fuori* o venite *dentro*?
– Preferiamo restare fuori, perché dentro fa troppo caldo.

IX   *Rispondete alle seguenti domande:*

1. Nel Suo paese sono numerosi gli attentati, le rapine e gli omicidi?
2. Se la Sua risposta è no, dica come mai, secondo Lei, la situazione del Suo paese è migliore di quella di altri paesi.
3. Cosa si dovrebbe fare, secondo Lei, contro le ingiustizie sociali?
4. Se nel Suo paese esiste il diritto di sciopero, dica quali sono i motivi per cui si sciopera di più.
5. Il problema della difesa del posto di lavoro è grave anche nel Suo paese?

Lessico nuovo: dietro - diritto (s.).

X   *Test*

A. Completate le frasi secondo il senso:

1. A Luigi piace più prendere l'autobus .... andare a piedi.
2. Quell'armadio è più bello .... utile.
3. È una zona elegante, per cui l'affitto delle case è ....
4. Vado a letto ...., sempre dopo mezzanotte.
5. I genitori di Marco sono più vecchi .... miei.
6. Vivere in centro è più comodo .... abitare in periferia.
7. L'Europa è .... America.
8. Il vino nero è ....: mi piace più .... quello bianco.
9. Molti hanno la .... abitudine di parlare a voce troppo alta.
10. Sergio è ....: ha vinto due volte al totocalcio.

B. Completate le frasi con le forme convenienti dell'interrogativo:

1. A .... ora e da .... binario parte il treno per Pisa?
2. C'è pasta lunga e pasta corta: .... preferisce?
3. Da .... comincerai a lavorare nel nuovo ufficio?
4. Il vino è finito: .... va a comprarne dell'altro?
5. Luisa è molto arrabbiata: .... le hai detto?
6. .... genere di musica Le piace di più?
7. .... chilometri fa con un litro di benzina questa macchina?
8. .... sono i problemi del vostro paese?
9. Da .... anni vivete in questo appartamento?
10. Con .... sei andato al cinema ieri sera?

C. Scrivete accanto ad ogni parola il suo contrario:

lungo / ....   comodo / ....   dentro / ....

largo / ....   forte / ....   dietro / ....

pulito / ....   alto / ....   avanti / ....

pieno / ....   vantaggio / ....   ragione / ....

Lessico nuovo: –

> A questo punto Lei conosce
> 1548 parole italiane

Un popolo del tempo che fu

Brigitte: È vero che gli Etruschi *vennero* ^(Venire) dal Nord attraverso
le Alpi e la pianura padana?

Sergio :   Questa è soltanto una delle tre principali teorie sulla
origine di questa popolazione dell'Italia antica.

Brigitte: E le altre due quali sarebbero?

Sergio :   Secondo alcuni studiosi, gli Etruschi *arrivarono* per
mare dall'Asia Minore nella prima metà del XII
secolo avanti Cristo. Secondo altri, *furono* i più
antichi abitanti della regione fra l'Arno e il Tevere
che da essi *prese* il nome, cioè l'Etruria.

Brigitte: Se non sbaglio, però, *non si fermarono* lì.

Sergio :   Infatti *rivolsero* presto l'attenzione a Roma, dove *si
stabilì* una dinastia di re etruschi. Da Roma,
l'influenza etrusca *si estese* a tutto il Lazio e poi alla
Campania, dove dominavano i Greci. Nello stesso
tempo *si spostarono* verso la pianura padana.

Brigitte: Accidenti! Erano un popolo davvero potente!

Sergio :   Sì, ma a causa dell'organizzazione politica non
perfetta, presto *subirono* sconfitte dai Greci, dai
Romani e poi dai Galli, che li *cacciarono* dalla
pianura padana.

Brigitte: Dunque *dovettero* rientrare nei confini dell'Etruria?

Sergio :   Non solo, ma intorno alla fine del III secolo avanti
Cristo *caddero* sotto il dominio dei Romani.

Brigitte: Però *non fecero* solo le guerre!

Sergio :   È evidente! *Si dedicarono* anche all'attività letteraria,
di cui purtroppo ci sono giunte notizie soltanto da
autori greci e latini.

Brigitte: Come mai?

Sergio :   La lingua etrusca è rimasta finora un mistero,
perché è giunto fino a noi un solo testo di una certa
ampiezza. Inoltre, l'interpretazione dell'etrusco
risulta notevolmente difficile, in quanto non
somiglia a nessuna delle lingue a noi note.

Brigitte: Era importante per loro la religione?

Sergio :   Sì, era fondamentale, come dimostra anche la cura
che *ebbero* per le tombe. ✗

Lessico nuovo: sedicesimo - etrusco - pianura - padano - origine - popolazione
- studioso (s.) - metà - abitante - rivolgere - stabilirsi - dinastia - re - influenza
- estendersi - dominare - spostarsi - accidenti! - potente - organizzazione -
sconfitta - cacciare - confine - intorno a - dominio - evidente - attività -
letterario - autore - greco - finora - mistero - ampiezza - notevolmente -
somigliare - noto - religione - fondamentale - tomba.

sedicesima unità
(unità numero sedici)

il passato remoto - gli indefiniti

II   *Ora ripetiamo insieme:*

- È vero che gli Etruschi vennero dal Nord attraverso le Alpi e la pianura padana?

- Se non sbaglio, però, non si fermarono lì.

- Accidenti! Erano un popolo davvero potente!

- Dunque dovettero rientrare nei confini dell'Etruria?

- Però non fecero solo le guerre!

- Era importante per loro la religione?

III   *Rispondete alle seguenti domande:*

1. L'origine degli Etruschi è sicura?
2. Secondo la teoria che conosce Brigitte, da dove vennero gli Etruschi?
3. Dove si trovava l'Etruria?
4. Quale popolo dominava la Campania quando vi giunsero gli Etruschi?
5. Da quali popoli subirono sconfitte gli Etruschi?
6. Cosa successe agli Etruschi verso la fine del III secolo avanti Cristo?
7. Perché le notizie sulla loro attività letteraria ci sono giunte soltanto attraverso autori greci e latini?
8. Perché l'interpretazione della lingua etrusca risulta molto difficile?

IV   *Il passato remoto.*

A. Come il passato prossimo, il passato remoto è un tempo perfetto. Prima di esaminare le differenze d'uso fra le due forme del perfetto, vediamo la coniugazione regolare e irregolare del passato remoto:

1.
-are	*-ere*	*-ire*
arriv ai	cred ei (–etti)	fin ii
asti	esti	isti
ò	é (–ette)	í
ammo	emmo	immo
aste	este	iste
arono	erono (–ettero)	irono

Lessico nuovo: esaminare.

2. Altri verbi seguono modelli diversi:

a. *avere*   *essere*

ebbi	fui
avesti	fosti
ebbe	fu
avemmo	fummo
aveste	foste
ebbero	furono

b. Verbi in –*dere*   **–*ndere***

chiedere	chie	*si*		prendere	pre	*si*
		desti		pretendere	prete	ndesti
chiudere	chiu	*se*		rendere	re	*se*
decidere	deci	demmo		rispondere	rispo	ndemmo
dividere	divi	deste		scendere	sce	ndeste
		sero		spendere	spe	*sero*

c. Verbi in –*cere*   **–*gere***

convincere	convin	*si*				*si*
		cesti		costringere	costrin	gesti
		se		giungere	giun	*se*
		cemmo				gemmo
		ceste				geste
		sero				*sero*

d.

correre	cor	*si*			corr	esti
rimanere	rima	*se*			riman	emmo
		sero				este

Come potete vedere di seguito, i verbi che hanno modelli di coniugazione diversa sono irregolari soltanto in tre persone:

verbo regolare	*verbo irregolare*
credERE	chied*ere*
credei (–etti)	chie*si*
credesti	chiedesti
credé (–ette)	chie*se*
credemmo	chiedemmo
credeste	chiedeste
crederono (–ettero)	chie*sero*

Lessico nuovo: seguito (di s.).

3. Pochi altri verbi hanno, invece, una coniugazione particolare:

a.

bere	bevvi	bevve	bevvero
cadere	caddi	cadde	caddero
conoscere	conobbi	conobbe	conobbero
sapere	seppi	seppe	seppero
tenere	tenni	tenne	tennero
venire	venni	venne	vennero
volere	volli	volle	vollero

b. *fare*   *dare*   *stare*

fare	*dare*	*stare*
feci	diedi (detti)	stetti
facesti	desti	stesti
fece	diede (dette)	stette
facemmo	demmo	stemmo
faceste	deste	steste
fecero	diedero (dettero)	stettero

c. *mettere*   *vedere*   *dire*

mettere	*vedere*	*dire*
misi	vidi	dissi
mettesti	vedesti	dicesti
mise	vide	disse
mettemmo	vedemmo	dicemmo
metteste	vedeste	diceste
misero	videro	dissero

Lessico nuovo: –

4. Trasformate ora le seguenti frasi dal plurale al singolare:

1. Nel 1983 chiedemmo una borsa di studio, ma non l'ottenemmo.

....

2. All'esame traducemmo un testo in italiano e facemmo diversi errori gravi.

....

3. Decidemmo di passare il fine-settimana in una famosa località della Svizzera e spendemmo un occhio della testa.

....

4. Giungemmo a Napoli di notte e avemmo non pochi problemi per trovare un albergo.

....

5. Leggemmo un annuncio sul giornale e concludemmo l'affare su due piedi.

....

6. Stemmo ad ascoltarlo per qualche minuto e poi gli dicemmo che non eravamo d'accordo con lui.

....

7. Quella sera bevemmo troppo e la mattina dopo non fummo in grado di andare al lavoro.

....

8. Sapemmo da Rita che Giulio aveva bisogno di aiuto e corremmo subito da lui.

....

9. Demmo sei esami e poi smettemmo di frequentare l'università per motivi economici.

....

10. Cademmo sciando e rimanemmo a letto per un mese.

....

B. Uso del perfetto (passato prossimo e passato remoto).

Contrariamente a quanto lasciano pensare i termini "prossimo" e "remoto", la scelta dell'una o dell'altra forma del perfetto non dipende dal fattore *tempo*. Il passato prossimo, infatti, si usa per:

1) azioni vicine nel tempo, legate al presente;
2) azioni lontane nel tempo, ma che esprimono fatti per i quali il parlante prova interesse.

Ho scritto proprio ieri a Giulio.
Dante Alighieri *ha scritto* numerose opere.

Lessico nuovo: - opera.

Il passato remoto, viceversa, si usa per:

1) azioni lontane nel tempo, in nessun modo legate al presente;
2) azioni anche vicine nel tempo, che però esprimono fatti per i quali il parlante non prova alcun interesse.

Nella prima guerra mondiale *trovarono* la morte moltissimi soldati.
Qualche tempo fa *conobbi* anch'io la persona di cui state parlando.

Per concludere, possiamo dire che, a parte alcuni casi di italiano regionale nel quale ricorre esclusivamente o il passato remoto o il passato prossimo, le due forme del perfetto vengono usate nel modo indicato sopra.
Poiché in entrambi i casi n. 2 la scelta dell'una o dell'altra forma del perfetto dipende soltanto dall'interesse che il parlante prova per i fatti che racconta, i pensieri possono essere espressi tanto con il passato prossimo, quanto con il passato remoto:

- Dante Alighieri | *ha scritto* *scrisse* | numerose opere.

- Qualche tempo fa | *conobbi* *ho conosciuto* | anch'io la persona di cui state parlando.

1. Ed ora completate le frasi con la forma conveniente del perfetto:

> Mesi fa Lucio mi *confessò* che il suo matrimonio   (confessare)
> era in crisi.
> Giorni fa Lucio mi *ha confessato* che il suo
> matrimonio è finito.

1. Gli Etruschi non .... nell'Etruria, ma .... (fermarsi/arrivare) fino alla Campania.

2. Quest'anno noi .... alle vacanze.   (rinunciare)

3. Da due anni a questa parte il numero dei disoccupati
....   (salire)

4. Dieci anni fa in questa città .... un fatto di   (succedere)
cui .... tutti i giornali.   (parlare)

5. L'ultima volta che lui e Franca .... un viaggio   (fare)
insieme .... nel 1976.   (essere)

6. Le foto che Carlo mi .... domenica scorsa non   (fare)
.... bene.   (venire)

Lessico nuovo: viceversa - morte - soldato - ricorrere - esclusivamente - pensiero.

7. Nostro figlio ormai _____ grande e _____   (diventare/decidere)
   di andare a vivere da solo.

8. Il signor Rossi _____ la fortuna di mettersi   (avere)
   negli affari al momento giusto ed ora è ricchissimo.

9. Quel giorno Luigi _____ e _____ senza   (offendersi)
   salutare nessuno.   (andarsene)

10. Negli ultimi tempi il costo della vita _____ e   (salire)
    gli stipendi _____ gli stessi.   (rimanere)

V

1. Completate i dialoghi secondo il modello:

> Quando vedesti Giorgio per l'ultima volta?
> Lo *vidi* due anni fa, quando andai a trovarlo a Milano.

1. Convincesti tu Luisa a finire gli studi?
   Sì, la _____ io, ma non fu facile.

2. Per andare in Sicilia prendesti il treno o l'aereo?
   _____ l'aereo, perché con il treno ci volevano troppe ore.

3. Quanto tempo tenesti la prima macchina?
   La _____ soltanto un anno e poi ne comprai una più potente.

4. Da chi sapesti che Luisa stava male?
   Lo _____ da Marta, che incontrai per caso in banca.

5. A Genova mettesti la macchina in un garage pubblico?
   No, la _____ nel garage dei miei amici.

6. A chi desti le chiavi di casa quando partisti per le vacanze?
   Le _____ ad una persona di fiducia, la stessa degli anni precedenti.

7. Facesti tardi quando andasti a cena da Luigi?
   Sì, _____ tardi, anche perché tornando a casa accompagnai Laura e
   Carla.

8. Quella volta giungesti in tempo alla cerimonia?
   No, purtroppo _____ con una mezz'ora di ritardo e non sentii la
   prima parte del discorso ufficiale.

9. A chi chiedesti un prestito per comprare l'appartamento?
   Lo _____ alla banca, perché nessuno dei miei amici poteva aiutarmi.

10. In che mese prendesti le ferie l'anno scorso?
    Le _____ in giugno, per portare al mare i bambini.

Lessico nuovo: –

2. Completate le frasi con il passato remoto o con il passato prossimo, secondo il senso:

Quell'anno *cambiai* casa due volte.	(cambiare)
Quest'anno *ho passato* le vacanze in montagna.	(passare)

1. Franco .... di casa pochi minuti fa.   (uscire)

2. I nostri genitori .... una casa al mare tanti   (comprare)
anni fa, per pochi soldi.

3. .... per quattro ore ed ora vorrei riposarmi.   (lavorare)

4. Cosa ....di bello il fine-settimana scorso, ragazzi? (fare)

5. Napoleone .... nel 1821.   (morire)

6. Ieri sera tu .... troppo!   (bere)

7. Stamattina .... molto.   (piovere)

8. Con quel brutto tempo noi .... di restare a casa. (decidere)

9. Quell'anno .... molti incidenti aerei.   (accadere)

10. Poco fa .... che mio figlio ha superato l'ultimo (sapere)
esame.

VI   *Gli indefiniti.*

Gli indefiniti possono essere:

a) solo aggettivi

b) solo pronomi

c) sia aggettivi che pronomi

Lessico nuovo: –

a) Indefiniti solo aggettivi.

Non si possono usare da soli. Normalmente precedono il sostantivo; solo "qualsiasi" e "qualunque" possono anche seguirlo.

SINGOLARE		PLURALE	
maschile	*femminile*	*maschile*	*femminile*
ogni qualche qualsiasi qualunque		– – – –	
certo	certa	certi	certe

1. *Ogni:* Significa una totalità di persone o cose considerate singolarmente. Non si accorda nel genere con il sostantivo che precede. Per il plurale si usa "tutti", "tutte".

   Ogni italian*o* o quasi, parla un dialetto.
   Ogni person*a* ha i suoi problemi.
   In questo libro puoi trovare esempi di *ogni* varietà regionale.
   In *ogni* città ci sono tesori d'arte.

2. *Qualche:* esprime una quantità indeterminata e non grande. Non si accorda nel genere con il sostantivo che precede. Per il plurale si usa "alcuni", "alcune".

   Qualche volta andiamo a cena fuori. (più di una volta, ma comunque non molte)
   Ho ancora *qualche* dubbio su quella faccenda.

Lessico nuovo: qualunque - totalità - considerare - singolarmente - indeterminato.
Termini tecnici: sostantivo.

3. *Qualsiasi / qualunque:* Significano una unità indeterminata, e perciò possono essere preceduti dall'articolo indeterminativo. Possono precedere o seguire il sostantivo. In alcune strutture la loro presenza determina l'uso del congiuntivo (v. Unità 18 e 20).

Qualsiasi ragazza ci tiene a seguire la moda.
Non mi va di ascoltare un disco *qualsiasi:* vorrei sceglierne uno da me.
Farei *qualunque* cosa (ogni cosa) per lei.
Qualunque persona (una persona *qualunque)* potrebbe aiutarti in questo caso.
Potete venire un giorno *qualunque* (un *qualunque* giorno) della prossima settimana.

4. *Certo:* Al singolare è di solito preceduto dall'articolo indeterminativo (un, una). Si accorda con il sostantivo nel genere e nel numero.

Ti ha cercato *un certo* signor Bianchi.
Ti ha telefonato *una certa* signora Rossi.
In *certe* occasioni uno non sa come comportarsi.
Certi modi di fare mi danno ai nervi.

Nota: Se precede il sostantivo, *certo* ha valore di indefinito; se, viceversa, lo segue, assume il valore di aggettivo qualificativo:

È un lavoro che dà un *certo* guadagno. (= un po' di guadagno)
È un lavoro che dà un guadagno *certo*. (= un guadagno sicuro)

b) Indefiniti solo pronomi.

Si usano sempre da soli e soltanto al singolare.

MASCHILE	FEMMINILE
uno	una
ognuno	ognuna
qualcuno	qualcuna
chiunque	

si riferiscono a persone

si riferiscono a cose

qualcosa
nulla
niente

si riferisce a persone o a cose

MASCHILE	FEMMINILE
qualcuno	qualcuna

Lessico nuovo: presenza - determinare - nervo - assumere - ognuno - chiunque.
Termini tecnici: struttura - congiuntivo - qualificativo.

1. *Uno:* Si riferisce a persone lasciate indeterminate.

   Se *uno* studia le lingue da bambino, le impara con minore fatica.
   Quando *uno* parla in dialetto, non tutti lo capiscono.
   Quando *una* è madre di famiglia, ha poco tempo libero.
   Parliamo di *uno* che non conosci.

   Nota: Se *uno* è usato in coppia con "altro", deve essere preceduto
   dall'articolo e può avere anche il plurale.

   Marco e Sergio si aiutano *l'un l'altro*.
   Sia *gli uni* che *gli altri* parlano l'inglese.

2. *Ognuno:* Come l'aggettivo "ogni", indica una totalità di persone considerate
   singolarmente.

   Ognuno deve fare il proprio dovere.
   Ognuna delle persone con cui ho parlato sapeva bene l'italiano.

3. *Qualcuno:* Indica una quantità indeterminata e non grande.

   Qualcuno potrebbe pensare male di te.
   A *qualcuno* potrebbe sembrare strano.
   Siete in tante: *qualcuna* di voi saprà suonare il pianoforte, spero.

4. *Chiunque:* Significa "qualsiasi persona".

   Chiunque sarebbe caduto in quello scherzo.
   Una macchina così bella non può averla *chiunque*.

5. *Qualcosa:* Significa "qualche cosa". Nelle forme composte il verbo si accorda
   con esso al maschile.

   C'è *qualcosa* che non va?
   Vorrei *qualcosa* di diverso.
   È successo *qualcosa* di grave?

6. *Niente / nulla:* Significano "nessuna cosa". Nei tempi composti il verbo si
   accorda con essi al maschile.

   Ha parlato per mezz'ora senza dire *nulla*.
   Non c'è niente di nuovo.
   Grazie mille! Di *nulla* (di niente).
   Per fortuna *non è* successo *nulla* (niente) di grave.
   Niente è perduto.

Lessico nuovo: fatica - dovere (s.) - pianoforte.
Termini tecnici: negazione.

Nota: Se "niente", "nulla" e "nessuno" seguono il verbo, la negazione si ripete:

Non è venuto   *nessuno.*
Non è successo *niente.*
Non ho capito   *nulla.*

Se, viceversa, essi precedono il verbo, la negazione *non* si ripete:

Niente   è perduto.
Nulla   gli fa paura.
Nessuno può farmi cambiare idea.

c) Indefiniti aggettivi e pronomi.

SINGOLARE		PLURALE	
maschile	*femminile*	*maschile*	*femminile*
ciascuno	ciascuna	—	—
nessuno	nessuna	—	—
alcuno	alcuna	alcuni	alcune
altro	altra	altri	altre
molto	molta	molti	molte
tanto	tanta	tanti	tante
parecchio	parecchia	parecchi	parecchie
poco	poca	pochi	poche
troppo	troppa	troppi	troppe
quanto	quanta	quanti	quante
tale	tale	tali	tali
tutto	tutta	tutti	tutte

1. *Ciascuno:* Come "ogni" e "ognuno", esprime una totalità di persone o cose considerate singolarmente. Come aggettivo prende le terminazioni dell'articolo indeterminativo (un, uno, una).

   Qui *ciascuno* fa a modo suo.
   Qui *ciascuna* persona fa a modo suo.
   Ciascun libro deve essere messo al suo posto.
   Ciascuno di questi libri deve essere messo al suo posto.

Lessico nuovo: parecchio.
Termini tecnici: terminazione.

2. *Nessuno:* Rappresenta il contrario di "ognuno" e "ciascuno". Come aggettivo prende le terminazioni dell'articolo indeterminativo. Se segue il verbo, questo deve essere alla forma negativa (v. nota al punto b.6).

   Nessuno ti capisce meglio di me.
   Nessuno di voi capisce il dialetto di questa regione?
   Non abbiamo *nessun* disco di musica leggera.
   In *nessuna* occasione ho potuto parlare dei miei problemi.

3. *Alcuno:* Si usa al singolare e al plurale. Al singolare si usa solo in frasi negative o dopo la preposizione "senza", con lo stesso valore di "nessuno". Al plurale indica una quantità limitata. Come "ciascuno" e "nessuno", prende le terminazioni dell'articolo indeterminativo.

   Non ho *alcuna* idea su cosa regalare a Marta.   (= nessuna idea)
   Non ho *alcun* interesse a fare come dice lei.   (= nessun interesse)
   Alcune volte mi succede di capire male.   (= qualche volta)
   Alcuni nostri compagni d'università sono   (= qualche compagno)
   andati in gita a Pompei.

4. *Altro:* Se usato con l'articolo, indica persone; senza articolo di solito indica cose.

   Mi sembrava Marco, invece era un *altro*.
   Sia *gli uni* che *gli altri* parlano l'inglese.
   Carla non fa *altro* che lavorare.
   Per conto mio non ho *altro* da dire.
   Desidera *altro*?

Lessico nuovo: rappresentare - limitato.

5. *Molto, tanto, parecchio, poco, troppo, quanto:* esprimono una quantità indefinita. Come pronomi, al singolare si riferiscono a cose, mentre al plurale possono indicare sia persone che cose.

Studia *molto,* ma impara poco.
Molti non vanno mai in vacanza.
Passa *tante* ore a studiare, eppure fa pochi progressi.
Ho ancora *parecchie* pagine per finire il libro.
Luigi ha *poco* tempo per la famiglia.
Siamo usciti quasi subito, perché c'era *troppa* confusione.
Se si trova bene qui, resti pure *quanto* vuole!

6. *Tale:* Si usa soprattutto come pronome, preceduto dall'articolo indeterminativo.

Un tale ha lasciato questa lettera per te.
C'è *una tale* che chiede di te.
Ho incontrato *dei tali* che ti conoscono.

7. *Tutto:* Indica totalità o interezza. Rappresenta il contrario di "nessuno" e "niente".

So *tutto* di lui.
Siamo rimasti a casa *tutto* il giorno.
Tutta la gente sembra contenta del nuovo presidente.
Tutte le persone hanno qualche problema.
Tutti i giorni succede qualcosa.
Tutti desiderano fare carriera.

Lessico nuovo: confusione - interezza.

Osservate!

a. Ordine delle parole con "tutto":

1. Tutta la gente   ⟶   "tutto" + articolo + sostantivo
    Tutta questa gente   ⟶   "tutto" + dimostrativo + sostantivo
2. Tutti e due   ⟶   "tutto" + "e" + numero
    Tutte e cinque le ragazze   ⟶   "tutto" + "e" + numero + articolo +
                                                   sostantivo

b. "Tutto" non è mai seguito direttamente dal pronome relativo "che":

Ti ho raccontato *tutto* | *ciò* |
                    quello | *che* sapevo.

Tutti | *coloro* |
        quelli | *che* lavorano devono pagare le tasse.

VII

1. Trasformate le seguenti frasi secondo il modello:

> *Qualche* ann*o* fa vinsi un milione al totocalcio.
> *Alcuni* ann*i* fa vinsi un milione al totocalcio.

1. Qualche volta mi addormento davanti alla televisione.
....

2. Ormai siete in grado di leggere anche qualche quotidiano.
....

3. Qualche fotografia non è riuscita bene.
....

4. Fa ancora freddo, ma qualche albero è già in fiore.
....

5. Per qualche quadro non ho ancora trovato la cornice adatta.
....

Lessico nuovo: tassa.
Termini tecnici: dimostrativo.

2. Completate le frasi secondo il senso:

1. Ormai capisco quasi .... ciò che leggo.

2. In quell'albergo .... le camere hanno il bagno.

3. .... anno facciamo due settimane di cure termali.

4. Sai .... di quella faccenda? No, non ne so ....

5. In un .... senso ha ragione Marco.

6. Avete fatto la gita da soli o con .... amico?

7. Vorrei .... di fresco da bere.

8. Queste cose possono succedere a ....

9. Non abbiamo comprato .... perché era tutto troppo caro.

10. .... dovrebbe pensare ai fatti suoi.

VIII

A. Raccontate il contenuto del dialogo introduttivo, completando il seguente testo:

Secondo una delle tre principali teorie in questo campo, gli Etruschi
.... i più antichi .... della regione fra l'Arno e il Tevere che
da essi .... il nome, ... l'Etruria.
Presto .... l'attenzione a Roma, dove .... una ....
di re etruschi.
L'influenza etrusca .... a tutto il Lazio e anche alla Campania.
Nello stesso tempo .... verso la pianura padana.
.... diverse sconfitte da parte dei Greci, dei Romani e dei Galli e
intorno alla fine del III secolo avanti Cristo .... sotto il dominio
dei Romani. Gli Etruschi .... anche all'attività letteraria, ma la loro
lingua è di difficile .... in quanto non .... a nessuna delle
lingue a noi ....

Lessico nuovo: –

B.   «**Come si dice**»

Sinonimi

1.

diverso - vario

Hanno lo stesso significato solo se precedono un sostantivo al plurale (o che ha valore di plurale, come "gente"). In questo caso indicano entrambi una quantità indeterminata, ma comunque *grande:*

In vacanza ho conosciuto | diversa varia | gente.

Abbiamo bevuto | diverse varie | bibite.

Abbiamo ascoltato | diversi vari | dischi.

Quando seguono il sostantivo, prendono significati differenti:

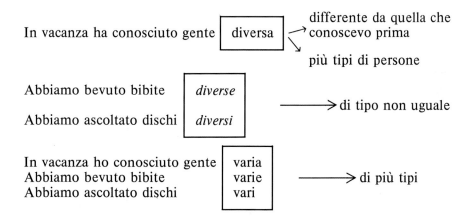

In vacanza ha conosciuto gente | diversa | differente da quella che conoscevo prima / più tipi di persone

Abbiamo bevuto bibite | *diverse*

Abbiamo ascoltato dischi | *diversi* | di tipo non uguale

In vacanza ho conosciuto gente
Abbiamo bevuto bibite
Abbiamo ascoltato dischi | varia varie vari | di più tipi

Lessico nuovo: sinonimo - differente.

Osservate!

diversi dischi *vari*	= *numerosi* dischi	
dischi *diversi*	= dischi di tipo *non uguale*	
dischi *vari*	= dischi *di più tipi*	

2.

ognuno - ciascuno

Ognuno
 Ciascuno   di voi può fare ciò che vuole.

·Qui ognuno
       ciascuno   fa ciò che vuole.

ma:

    Qui ciascuna
         ogni   persona fa ciò che vuole.

3.

qualche - alcuni/e

Mi manca solo *qualche* pagin*a*   = Mi mancano solo *alcune* pagin*e*
per finire il libro.   per finire il libro.

C'è ancora *qualche* giorn*o* di   = Ci sono ancora *alcuni* giorn*i* di
tempo.   tempo.

Lessico nuovo: –

4.

> molto - tanto

Ci vuole *molta* pazienza per
fare bene questo lavoro.

= Ci vuole *tanta* pazienza per fare bene
questo lavoro.

I cacciatori hanno ucciso *molti*
uccelli in volo.

= I cacciatori hanno ucciso *tanti* uccelli
in volo.

In questi ultimi giorni ho
lavorato *molto*.

= In questi ultimi giorni ho lavorato
tanto.

I formaggi francesi sono *molto*
buoni.

= I formaggi francesi sono *tanto* buoni.

5.

> ogni - tutti/e

Ogni vol*ta* che parcheggio la
macchina in centro, prendo
la multa.

= Tutt*e le* vol*te* che parcheggio la
macchina in centro, prendo la
multa.

È un bambino terribile: ogni
giorn*o* rompe qualcosa.

= È un bambino terribile: tutt*i i* giorn*i*
rompe qualcosa.

> ogni vol*ta* = tutt*e le* vol*te*
> ogni giorn*o* = tutt*i i* giorn*i*

Lessico nuovo: cacciatore - uccidere - uccello - volo - formaggio - multa - terribile - rompere.

IX   *Rispondete alle seguenti domande:*

1. Chi furono i più antichi abitanti del Suo paese?

2. Da dove arrivarono?

3. Esistono diverse teorie sulla loro origine?

4. Ci sono ancora oggi dei segni della loro presenza nel paese?

5. L'interpretazione della loro lingua risulta difficile? Perché?

X   *Test*

A. Mettete al passato remoto le seguenti frasi:

1. Ho chiesto in prestito la macchina da scrivere a Luigi, ma non me l'ha data perché quel giorno serviva a lui.

   ....

2. Marco ha saputo che c'era lo sciopero dei treni soltanto quando è giunto alla stazione.

   ....

3. Per tutto il tempo che sono stati in Italia hanno bevuto soltanto vino.

   ....

4. Non ho visto quel film alla tv, perché sono giunto in ritardo a casa.

   ....

5. Laura ha voluto provare a sciare ed è caduta subito.

   ....

B. Mettete al singolare le seguenti frasi:

1. Tenemmo la macchina fino al 1980 e poi la vendemmo, perché la usavamo pochissimo.

   ....

2. Facemmo un giro per i negozi, ma non vedemmo niente di interessante.

   ....

3. In quell'albergo stemmo bene e spendemmo relativamente poco.

   ....

4. Mettemmo delle condizioni precise e convincemmo Sergio ad accettarle.

   ....

5. Traducemmo senza errori un testo difficile e prendemmo un bel voto.

   ....

Lessico nuovo: –

C. Completate le frasi con la forma conveniente dell'indefinito:

1. Ci sono .... teorie sull'origine degli Etruschi.

2. .... volta che decido di fare una passeggiata si mette a piovere!

3. I libri che vi servono potete trovarli in .... libreria.

4. Devo uscire, ma se hai .... d'importante da dirmi, mi fermo.

5. .... discorsi non si fanno in pubblico.

6. Quando .... parla, deve sapere ciò che dice.

7. Marco presta la macchina a ....

8. Devo confessare che non capisco quasi .... quando una persona parla in fretta.

9. .... paga per sé, perché .... di noi ha abbastanza soldi per offrire da bere agli altri.

10. .... preferiscono il mare, altri la montagna.

D. Fate il X test.

Lessico nuovo: –

A questo punto Lei conosce
1626 parole italiane

Maria: *So* che a Pasqua *sei stata* in vacanza in un piccolo paese di mare. Ma *non avevi detto* che *saresti andata* all'estero?

Carla: È vero, ma all'ultimo momento mi *è saltata* in mente l'idea *di tornare* dove *ero stata* tante volte da bambina.

Maria: Insomma hai voluto fare un tuffo nel passato?

Carla: Sì, *volevo* vedere se quel posto *era rimasto* come *me* lo *ricordavo*.

Maria: E che cosa hai scoperto?

Carla: *Ho visto* subito che tutto *era cambiato,* dal paesaggio al modo di vita della gente. Molti pescatori *avevano abbandonato* il mare per un lavoro forse più faticoso, ma comunque più conveniente. E non ti dico come *sono rimasta* delusa nel vedere che perfino le piccole case lungo la spiaggia *avevano lasciato* il posto ad enormi edifici dall'aspetto grigio e triste.

Maria: Posso capirti. Una delusione altrettanto profonda la provai anch'io quando tornai nei luoghi della mia infanzia. La piccola città di provincia dove sono nata e dalla quale mancavo da oltre quindici anni mi apparve subito estranea.

Carla: Forse perché nel frattempo *si era ingrandita* e *aveva cambiato* aspetto.

Maria: Sì, la vecchia periferia *era diventata* ormai centro ed i nuovi quartieri *avevano cancellato* i prati su cui *andavo* a giocare da bambina.

Carla: A me *ha fatto* impressione vedere come le industrie sorte nella zona in questi anni *avevano inquinato* l'aria e il mare. Insomma, quello che un tempo mi *era sembrato* un angolo di paradiso è ora *diventato* peggio di una città industriale.

Maria: Che ci vuoi fare! Noi siamo state fortunate a vivere almeno il periodo dell'infanzia a contatto con la natura. Allora che dovrebbero dire i bambini di oggi?

Lessico nuovo: diciassettesimo - Pasqua - mente - tuffo - scoprire - paesaggio - pescatore - abbandonare - deluso - perfino - enorme - edificio - triste - delusione - altrettanto - profondo - infanzia - provincia - apparire - estraneo (agg.) - frattempo (nel f.) - ingrandirsi - quartiere - cancellare - prato - industria - sorgere - inquinare - angolo - paradiso - peggio - contatto (a c.) - natura.
Termini tecnici: piuccheperfetto - concordanza.

diciassettesima unità
(unità numero diciassette)

il piuccheperfetto
la concordanza dei tempi dell'indicativo

II   *Ora ripetiamo insieme:*

– Ho saputo che sei stata in vacanza in un piccolo paese di mare.

– Ma non avevi detto che saresti andata all'estero?

– Mi è saltata in mente l'idea di tornare dove ero stata da bambina.

– E che cosa hai scoperto?

– Ho visto subito che tutto era cambiato. E non ti dico come sono rimasta delusa!

– Posso capirti. Una delusione altrettanto profonda la provai anch'io quando tornai nei luoghi della mia infanzia.

III   *Rispondete alle seguenti domande:*

1. Perché Maria è sorpresa di sentire che Carla è stata in vacanza in un piccolo paese di mare?

2. Perché all'ultimo momento Carla ha cambiato idea?

3. Perché Carla desiderava tornare in quel piccolo paese?

4. In che senso è rimasta delusa?

5. Che cosa le ha fatto impressione?

6. Che cosa provò Maria quando tornò nei luoghi della sua infanzia?

7. In che senso era cambiata la piccola città in cui è nata?

8. Perché, secondo Maria, lei e la sua amica sono state fortunate rispetto ai bambini di oggi?

Lessico nuovo: –

IV   *Il piuccheperfetto (trapassato prossimo e trapassato remoto).*

Osserviamo le seguenti frasi:

Ho visto subito che tutto *era cambiato.*

Ho notato che le piccole case *avevano lasciato* il posto ad enormi edifici.

La città mi *apparve* estranea perché *aveva cambiato* aspetto.

Volevo vedere se quel posto *era rimasto* come me lo ricordavo.

Quello che mi *era sembrato* un angolo di paradiso, *è diventato* peggio di una città industriale.

Come vedete, il piuccheperfetto (trapassato) serve per esprimere un'azione *passata,* avvenuta *prima* di un'altra anch'essa *passata.*

1. Ora vediamo le forme del trapassato prossimo:

cambi*are*			riman*ere*				sent*ire*	
	avevo		ero				avevo	
Con	avevi		eri	rimasto/a			avevi	
gli	aveva	cambiato	era	deluso/a	Le		aveva	sentito
anni	avevamo	aspetto	eravamo		notizie	avevamo	erano vere
	avevate		eravate	rimasti/e	che		avevate	
	avevano		erano	delusi/e			avevano	

avere			*essere*		
avevo			ero		
avevi			eri	stato/a	tante volte
aveva	avuto	una brutta	era		in quel
avevamo		impressione	eravamo		piccolo paese
avevate			eravate	stati/e	
avevano			erano		

TRAPASSATO PROSSIMO   = *imperfetto* di "essere" o "avere" + *participio passato* del verbo che si vuole usare.

Lessico nuovo: –
Termini tecnici: trapassato.

2. Differenza fra i tempi passati ed il trapassato.

Dal presente al passato	Dal passato al trapassato

Voglio vedere se quel posto
è rimasto come me lo ricordo.

La città mi *appare* estranea
perché *ha cambiato* aspetto.

Vedo che tutto *è cambiato*

un'azione accaduta
prima del presente =

passato

Oggi *rispondo* alle lettere
che *ho ricevuto* ieri.

Volevo vedere se quel posto *era
rimasto* come me lo ricordavo.

La città mi *apparve* estranea
perché *aveva cambiato* aspetto.

Ho visto che tutto *era cambiato*.

un'azione accaduta
prima del passato =

trapassato

Ieri *ho risposto* alle lettere
che *avevo ricevuto* l'altro ieri.

L'altro ieri *risposi* alle lettere che
avevo ricevuto nei giorni precedenti.

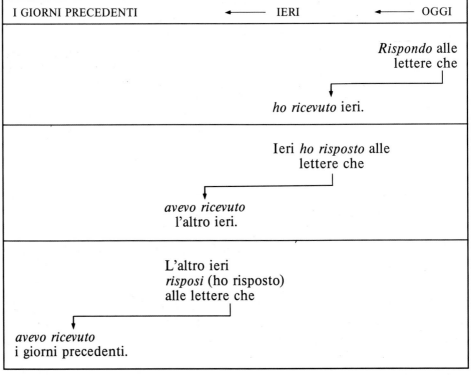

I GIORNI PRECEDENTI	← IERI	← OGGI

Rispondo alle
lettere che

ho ricevuto ieri.

Ieri *ho risposto* alle
lettere che

avevo ricevuto
l'altro ieri.

L'altro ieri
risposi (ho risposto)
alle lettere che

avevo ricevuto
i giorni precedenti.

Lessico nuovo: –

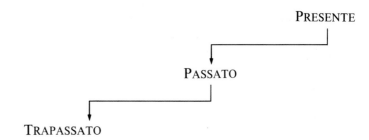

Nota: Non sempre per un'azione accaduta prima di un'altra passata è
necessario usare il trapassato.

Lo stesso pensiero si può esprimere in diversi modi, secondo le
intenzioni del parlante:

a) Ha risposto a tutte le lettere e poi è andato a letto.
b) È andato a letto dopo che *aveva risposto* a tutte le lettere.
c) È andato a letto dopo *aver risposto* a tutte le lettere.

Nel caso a) il parlante *non vuole* mettere in evidenza il rapporto di tempo
fra le due azioni, per cui l'enunciato è formato da due frasi indipendenti.
Nei casi b) e c), viceversa, il parlante *vuole* sottolineare il fatto che
un'azione è avvenuta prima dell'altra.

3. Uso indipendente del trapassato prossimo.

Fin qui abbiamo visto che il trapassato si usa per esprimere un'azione
passata, avvenuta prima di un'altra anch'essa passata:

Ho risposto alle lettere che *avevo ricevuto.*
Sono uscito dopo che *avevo risposto* alle lettere.

Il trapassato, però, si può usare anche da solo, cioè quando l'azione passata
a cui esso si riferisce non è espressa, ma è soltanto nella mente del
parlante:

– Prendiamo la macchina o andiamo a piedi?

– Dobbiamo andare per forza a piedi: oggi non abbiamo la macchina.

– Ah, già, è dal meccanico: non ci *avevo pensato!*

Lessico nuovo: evidenza - rapporto - indipendente.
Termini tecnici: enunciato.

Osservate ora la differenza fra le seguenti frasi:

1.a. *Non ho mai provato* la gioia di
   vivere a contatto con la natura.

1.b. Carla *non è mai andata* all'estero.

=   Azione *non realizzata* fino
    al momento in cui parlo.

2.a. *Non avevo mai provato* la gioia di
   vivere a contatto con la natura.

2.b. Carla *non era mai andata*
   all'estero.

=   Azione *realizzata*:
    – nel momento in cui parlo;
    – prima del momento
      passato di cui sto parlando.

Nota: Come nel caso delle altre forme composte, anche con il trapassato
   parole come "sempre", "mai", "ancora", "già", "appena", "anche",
   "più" si trovano abitualmente fra l'ausiliare ed il participio passato:

– Avevo *sempre* desiderato vivere a contatto con la natura e finalmente ora
  posso farlo.

– Non avevo *mai* visto un paesaggio bello come questo.

– A quel tempo non avevo *ancora* compiuto diciott'anni.

– Nel 1970 ero *già* andata a vivere da sola.

4. Uso del trapassato remoto.

Parlando di *piuccheperfetto,* ci siamo riferiti fin qui al *trapassato prossimo.*
Esiste, però, anche un'altra forma di piuccheperfetto, cioè il *trapassato
remoto:* Appena *ebbe visto* che gli amici *erano andati* via, *tornò* a casa.
Come vedete, l'azione espressa dal trapassato prossimo *(erano andati via)* è
anteriore anche a quella espressa dal trapassato remoto *(ebbe visto).*
L'uso di questo tempo è piuttosto raro, poiché si tende a sostituirlo con
altre forme.
Si costruisce con il passato remoto dei verbi ausiliari "avere" o "essere" più
il participio passato del verbo che si vuole usare:

Lessico nuovo: gioia - tendere.

Appena		
Non appena	*ebbi lasciato* l'impiego,	*mi accorsi* di aver fatto
Dopo che	*fui rimasto* senza lavoro,	un grosso errore.
Quando		

Come si vede, il trapassato remoto *si può* usare soltanto se:

1) il verbo principale è al passato remoto;
2) il verbo dipendente è preceduto da "appena", "non appena", "dopo che", "quando".

Spesso al posto del trapassato remoto si usano forme diverse:

Appena *ebbi lasciato*		
	Lasciato l'impiego,	mi accorsi di aver fatto
Dopo *aver lasciato*		un grosso errore.
Avendo lasciato		

V   **Completate le frasi con le forme convenienti del passato o del trapassato:**

> Siamo stanchi perché *abbiamo viaggiato* tutto il giorno.
> Eravamo stanchi perché *avevamo viaggiato* tutto il giorno.   (viaggiare)
> Giungemmo a casa stanchi perché *avevamo viaggiato* tutto
> il giorno.

1. Sono in ritardo perché non .... la sveglia.   (sentire)

2. Ti ringrazio del favore che mi ....   (fare)

3. Ieri Giulio mi ha reso i soldi che gli .... un mese fa.   (prestare)

4. Marta non ha salutato subito Gianni perché non
   l'........................ .   (riconoscere)

5. Non .... per tempo, perciò non abbiamo trovato
   posto in albergo.   (prenotare)

6. Sono passati a prendere Franca, ma lei .... già.   (uscire)

7. Ieri sera Carlo aveva molto appetito perché a pranzo
   .... solo un panino.   (mangiare)

8. I nostri amici erano preoccupati perché a mezzanotte il
   figlio non .... ancora.   (tornare)

9. Sergio è triste perché ieri .... la penna a cui
   teneva tanto.   (perdere)

10. Mi accorsi presto che quel giorno Mario non mi ....
    il vero.   (dire)

Lessico nuovo: accorgersi.

VI *La concordanza dei tempi dell'indicativo.*

1. Rapporti di tempo fra il verbo principale e il verbo dipendente.

Se l'azione espressa dal verbo dipendente si svolge *nello stesso tempo* di quella espressa dal verbo principale, si ha un rapporto di *contemporaneità*. Se l'azione espressa dal verbo dipendente avviene *dopo* quella espressa dal verbo principale, si ha un rapporto di *posteriorità*. Se l'azione espressa dal verbo dipendente si realizza *prima* di quella del verbo principale, si ha un rapporto di *anteriorità*.

2. Concordanza dei tempi dell'indicativo secondo il tempo del verbo principale.

a. Il verbo principale può essere al *presente* o al *passato legato al presente*:

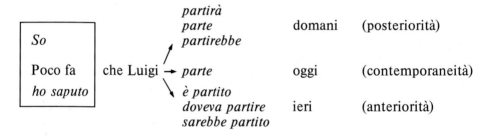

b. Il verbo principale può essere *al passato non legato al presente*:

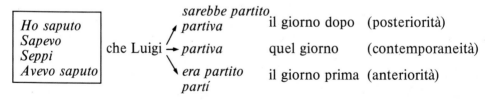

Lessico nuovo: svolgersi.
Termini tecnici: contemporaneità - posteriorità - anteriorità.

c. Il verbo principale può essere *al futuro:*

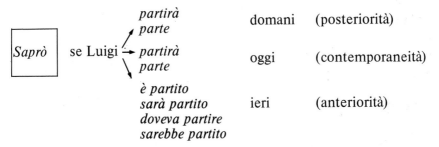

partirà	domani	(posteriorità)
parte		
Saprò se Luigi → *partirà*	oggi	(contemporaneità)
parte		
è partito	ieri	(anteriorità)
sarà partito		
doveva partire		
sarebbe partito		

Vediamo ora uno schema riassuntivo dell'uso dei tempi dell'indicativo (e del condizionale):

Presente o passato legato al presente	/ → \	futuro presente condiz. pres. presente pass. pross. imperfetto condiz. pass.	*So* *Ho saputo*	che / → \	*partirà* *parte* *partirebbe* *parte* *è partito* *doveva partire* *sarebbe partito*
Passato (pass. pross. imperfetto, pass. rem. trap. pross.)	/ ← \	condiz. comp. imperfetto imperfetto trap. pross. pass. rem.	*Ho saputo* *Sapevo* *Seppi* *Avevo saputo*	che / ← \	*sarebbe partito* *partiva* *partiva* *era partito* *partí*
Futuro	⤢ ← ⤡	futuro presente futuro presente pass. pross. fut. comp. imperfetto cond. comp.	*Saprò se*	⤢ ← ⤡	*partirà* *parte* *partirà* *parte* *è partito* *sarà partito* *doveva partire* *sarebbe partito*

Lessico nuovo: –

mentre always uses the imperfetto.

VII

1. Completate le seguenti frasi con la forma conveniente del verbo fra parentesi:

1. Io dico sempre ciò che ....   (pensare)

2. Poco fa ho saputo che ieri Anna .... a Roma.   (tornare)

3. Vediamo che Mario .... in questi ultimi tempi. (cambiare)

4. Sapete se domani i treni .... sciopero?   (fare)

5. Siamo sicuri che ieri Luisa .... volentieri.   (venire)

6. Stamattina Franco mi ha detto che ieri .... dal medico. (andare)

7. Sento che domani ....   (piovere)

8. Laura dice che, se sei d'accordo, ... con te. (uscire)

9. È vero che ieri sera .... le ore piccole, Gianni? (fare)

10. So che ieri a quest'ora loro .... in viaggio. (essere)

2. Come sopra:

1. Ieri Gianni ha detto che non .... bene.   (sentirsi)

2. Abbiamo invitato Carlo, ma ci ha risposto che
.... già un impegno.   (avere)

3. Eravamo sicuri che .... l'Inter.   (vincere)

4. A casa di Lucia ho rivisto una ragazza che
.... qualche mese fa in discoteca.   (conoscere)

5. Franco disse che .... di tutto per essere   (fare)
presente alla cerimonia.

6. Sapevo che a quell'ora Mario .... ancora.   (dormire)

7. Luisa ripeteva sempre che non .... mai, invece (sposarsi)
ora è una moglie felice.

8. Marco ha preferito rimanere a casa, perché .... (essere)
stanco.

9. Abbiamo saputo all'ultimo momento che Maria
.... una festa.   (dare)

10. Stanotte non ho chiuso occhio, perché .... (mangiare)
troppo a cena.

Lessico nuovo: –

3. Come sopra:

1. Soltanto domani saprò se Anna
.... partire con noi.   (potere)
2. Vedremo poi se loro ci .... il vero.   (dire)
3. Carla dirà certamente che ieri
.... volentieri con noi.   (venire)
4. Fra poco sentirò se Gianni
.... pronto a darci una mano.   (essere)
5. Sarà proprio vero che Giulio
.... di fumare da una settimana?   (smettere)
6. Diremo ai nostri amici che .... restare a   (dovere)
casa fino a quando tornerà Carlo.
7. Sergio sarà sicuro che noi *avremo sbagliato* strada.   (sbagliare)
8. Quando vedranno che il figlio *è rimasto* a dormire   (rimanere)
fuori, si arrabbieranno certamente.
9. A voce ti dirò come *saranno andate* le cose con Franco.   (andare)
10. Da Giorgio sapremo se quel giorno *era*   (essere)
meglio parlare con il direttore.

4. Come sopra:

1. Invitammo anche Gianni, ma ci rispose che
avrebbe preferito restare a casa.   (preferire)
2. Partirà appena *avrà dato* l'esame.   (dare)
3. Mi hai portato la rivista che mi *avevi promesso*?   (promettere)
4. *Seppi* dalla radio che c'era lo sciopero dei treni,   (sapere)
perciò rimandai la partenza.
5. Si capisce subito che quella ragazza *è*   (essere)
intelligente.
6. Sandro disse che mi *avrebbe aiutato*, ma non fu di parola.   (aiutare)
7. Carlo aveva detto che *avrebbe cercato* di tornare in tempo   (cercare)
per la cena, invece è arrivato alle undici.
8. Eravamo sicuri che quel regalo gli *sarebbe piaciuto*   (piacere)
9. Quando siamo entrati, il film *era cominciato* da dieci   (cominciare)
minuti.
10. Poco fa Luisa mi ha detto che domani
andrà dal medico.   (andare)

Lessico nuovo: –

VIII

A. Raccontate il contenuto del dialogo introduttivo, completando il seguente testo:

Carla .... che .... all'estero, ma all'ultimo momento le .... in mente l'idea di tornare dove .... tante volte .... bambina.

Infatti voleva vedere se quel posto .... come se lo ricordava.

Purtroppo ha visto subito che tutto .... È rimasta delusa nel vedere che le piccole case dei pescatori .... il posto ad enormi edifici .... grigio e triste.

Le ha fatto impressione vedere come le industrie sorte nella zona in quegli anni .... l'aria e il mare.

Una delusione altrettanto profonda la provò anche Maria quando, tornando nella piccola città di provincia dalla quale .... da oltre quindici anni, vide che i nuovi quartieri .... i prati su cui .... a giocare da bambina.

Le due amiche sono state comunque .... rispetto ai bambini di oggi, perché hanno potuto vivere almeno il periodo dell'infanzia .... con la natura.

B.

a. L'aria è ferma, non si muove una foglia.
Per questo ho la testa pesante e non mi va di fare niente.
Eppure la radio aveva detto che la temperatura non sarebbe aumentata.
Qualche volta può sbagliare anche la radio.

b. Questa carne è davvero dura.
Sì, in effetti non è tenera.
Dovresti cambiare macellaio.
Devi ammettere, però, che prima d'oggi non mi aveva mai servito male.
Sapevo che prima o poi sarebbe successo.

c. Devi ancora pulire il pavimento?
Veramente l'avevo già pulito, ma i bambini l'hanno di nuovo sporcato.

Lessico nuovo: fermo - muoversi - temperatura - aumentare - duro - tenero - macellaio - ammettere - pulire - pavimento - sporcare.

IX   *Rispondete alle seguenti domande:*

1. Se Lei non abita nella stessa città dove ha passato gli anni dell'infanzia, dica se l'ha rivista e come l'ha trovata.

2. Anche la città in cui vive ora ha certamente cambiato aspetto negli ultimi anni. Dica in che senso.

3. Ha mai vissuto per un lungo periodo a contatto con la natura? Se sì, dica quali erano, secondo Lei, i vantaggi e gli svantaggi di tale situazione.

4. Nel Suo paese esiste una legge che proibisce alle industrie di inquinare l'aria, i fiumi e il mare?

5. Negli ultimi anni è cambiato il modo di vita della gente nel Suo paese? Dica come e perché.

X   *Test*

A. Completate le seguenti frasi con la forma conveniente del piuccheperfetto:

1. Chi di voi ha preso il giornale che avevo *lasciato* sul tavolo?   (lasciare)

2. Quando Carla è nata, suo nonno *era morto* già.   (morire)

3. Dopo che *aveva chiusa* la porta, Laura si accorse di non aver preso la chiave.   (chiudere)

4. Non abbiamo trovato posto in albergo, perché non *avevamo prenotato* per tempo.   (prenotare)

5. Quella storia andò a finire proprio come *avevo immaginato* io.   (immaginare)

6. Quando mi accorsi che Gianni non .... la lettera, mi arrabbiai molto.   (imbucare)

7. Ieri ho avuto mal di gola, perché la notte .... freddo a letto.   (sentire)

8. A pranzo Giorgio aveva molto appetito, perché *aveva saltato* la colazione.   (saltare)

9. Maria *si era addormentata* da qualche minuto, quando è suonato il telefono.   (addormentarsi)

10. Ieri sera Gianni e Paolo erano molto stanchi, perché *avevano giocato* a tennis per molte ore.   (giocare)

Lessico nuovo: fiume.

B. Mettete i verbi fra parentesi al conveniente tempo passato (perfetto, imperfetto, piuccheperfetto, condizionale composto):

1. Marta ha detto che ieri _è rimasta_ a casa   (rimanere)
   tutto il giorno.

2. Se Luisa non ci vedrà alle sei, penserà che
   ci saremmo dimenticati dell'appuntamento.   (dimenticarsi)

3. Quel giorno Carlo disse che _avrebbe preso_ qualche   (prendere)
   giorno di riposo, ma poi non l'ha fatto.

4. Non abbiamo preso in affitto quell'appartamento
   in centro, perché _è_ troppo caro.   (essere)

5. Fra poco sapremo chi _____ il nuovo presidente.   (essere)

6. I nostri amici erano stanchi morti, perché
   _____ tutto il giorno.   (viaggiare)

7. Appena _se ne erano andati_ tutti, la signora Rossi si mise   (andarsene)
   al lavoro.

8. Sapevo che un giorno o l'altro il prezzo della benzina
   sarebbe aumentato di nuovo.   (aumentare)

9. Conoscevamo la strada, perché _eravamo andati_ altre volte   (andare)
   in quel posto.

10. L'ultima volta che incontrai Giulio mi accorsi che
    aveva cambiato idea in fatto di politica.   (cambiare)

C. Completate le frasi con le preposizioni convenienti:

1. _Al_ posto delle vecchie case ci sono ora enormi edifici _dall'_
   aspetto grigio e triste.

2. Maria è nata _in_ una piccola città di provincia,
   dalla quale manca _da_ oltre vent'anni.

3. Siamo rimasti delusi _nel_ vedere che i nuovi quartieri avevano
   cancellato i prati _su_ cui andavamo a giocare _da_
   bambini.

4. _Nel_ 1970 quel posto era ancora un angolo _di_ paradiso.

5. Dobbiamo andare _per_ forza _a_ piedi, perché la macchina
   è _dal_ meccanico.

> A questo punto Lei conosce
> 1678 parole italiane

Lessico nuovo: –

Giulio: Fare un programma di viaggio da soli è piuttosto complicato. *Non credi che* <u>sia</u> meglio rivolgersi ad un'agenzia?

Marco: *Penso* proprio che tu <u>abbia</u> ragione. *Per quanto* uno <u>sappia</u> esattamente cosa vuole vedere, non è facile orientarsi in un paese sconosciuto.

Giulio: *Sono contento che* tu <u>sia</u> d'accordo con me. Allora non ci resta che scegliere un'agenzia seria che ci <u>possa</u> suggerire un programma interessante e alla portata delle nostre tasche.

Marco: *Immagino* che un paese in cui la vita è a buon mercato <u>sia</u> la Grecia.

Giulio: Chissà! Forse è più conveniente la Jugoslavia, *benché* negli ultimi anni il livello di vita <u>sia cresciuto</u> anche lì.

Marco: *Non ti sembra che* le bellezze naturali ed artistiche della Grecia <u>siano</u> superiori a quelle della Jugoslavia?

Giulio: *Non sono convinto che* la Jugoslavia <u>abbia</u> qualcosa da invidiare alla Grecia. Secondo me è altrettanto bella.

Marco: Potremmo sentire l'opinione di Giànni. *Mi pare che* <u>sia stato</u> più di una volta in Jugoslavia e sono sicuro che conosce bene la Grecia.

Giulio: Intanto *bisogna che* uno di noi <u>si informi</u> sui prezzi e sulle eventuali facilitazioni per studenti.

Marco: Prima di andare all'agenzia *direi che* <u>sia</u> meglio decidere quale paese vogliamo visitare.

Giulio: Al limite, a me andrebbe bene anche la Spagna, anzi, la preferirei perché so un po' di spagnolo.

Marco: *Ho l'impressione che* tu <u>non abbia</u> le idee chiare a proposito del viaggio da fare.

Giulio: Infatti. Allora sai che ti dico? *Qualunque* posto tu <u>scelga</u> mi sta bene.

Marco: Insomma *pretendi che* <u>sia</u> io a decidere! È una grossa responsabilità, ma l'accetto, *a patto che* poi tu <u>non</u> mi <u>dia</u> la colpa di aver preso una decisione sbagliata.

Lessico nuovo: diciottesimo - progetto - complicato - agenzia - esattamente - sconosciuto (agg.) - serio - suggerire - portata (alla p.) - tasca - chissà - benché - crescere - bellezza - naturale - artistico - convinto - invidiare - intanto - facilitazione - limite (al l.) - anzi - proposito (a p.) - responsabilità - patto (a p. che) - colpa - decisione - sbagliato.

diciottesima unità
(unità numero diciotto)

congiuntivo presente e passato

II   *Ora ripetiamo insieme:*

- Penso proprio che tu abbia ragione.

- Sono contento che tu sia d'accordo con me.

- Immagino che un paese in cui la vita è a buon mercato sia la Grecia.

- Non sono convinto che la Jugoslavia abbia qualcosa da invidiare alla Grecia.

- Direi che sia meglio decidere quale paese vogliamo visitare.

- Bisogna che qualcuno di noi si informi sui prezzi.

- Insomma pretendi che sia io a decidere!

- Qualunque posto tu scelga mi va bene.

III   *Rispondete alle seguenti domande:*

1. Perché Giulio crede che sia meglio rivolgersi ad un'agenzia di viaggi?
2. Perché Marco è d'accordo con lui?
3. Come dovrebbe essere, secondo Giulio, l'agenzia a cui rivolgersi?
4. Di che cosa non è convinto Giulio?
5. Cosa suggerisce di fare Marco?
6. Cosa pensa che sia meglio fare prima di informarsi sui prezzi e sulle facilitazioni per studenti?
7. Cosa sta bene a Giulio?
8. A quale condizione Marco accetta di decidere da solo?

Lessico nuovo: –

IV   *Forme del congiuntivo presente e passato.*

A.

	accettARE		prendERE		sentIRE	
Bisogna che						
io	accetti		prenda		senta	
tu	accetti	questa	prenda	una	senta	la sua
lui	accetti	responsabilità	prenda	decisione	senta	opinione
noi	accettiamo		prendiamo		sentiamo	
voi	accettiate		prendiate		sentiate	
loro	accettino		prendano		sentano	

	essere		*avere*	
Marco pensa che				
io	sia		abbia	
tu	sia		abbia	
lui	sia	d'accordo	abbia	ragione
noi	siamo	con lui	abbiamo	
voi	siate		abbiate	
loro	siano		abbiano	

Nota: Poiché le forme delle prime tre persone sono uguali, è opportuno usare il pronome personale (io - tu - lui/lei) quando dal contesto non risulta chiaro chi fa l'azione.

Osservate!

Per i verbi irregolari le forme del presente congiuntivo sono simili a quelle del presente indicativo:

andare	vad*o*	Bisogna che io vad*a* a casa.
dire	dic*o*	È meglio che io gli dic*a* la verità.
dovere	dev*o*/debb*o*	Immagina che io debb*a* uscire subito.
fare	facci*o*	Bisogna che io facci*a* presto.
salire	salg*o*	Non pensate che io salg*a* a piedi!
scegliere	scelg*o*	Marco pretende che io scelg*a* per lui.
uscire	esc*o*	Marta desidera che io esc*a* con lei.
venire	veng*o*	È probabile che io veng*a* in treno.
volere	vogli*o*	Luigi pensa che io vogli*a* fare tutto da me.

Oltre ad "essere" e "avere", fanno eccezione a questa regola pochi altri verbi:

dare	*do*	Vuole che io gli *dia* lezioni d'inglese.
sapere	*so*	Pensa che io *sappia* tutto.
stare	*sto*	Non crede che io *stia* male.

Lessico nuovo: opportuno - contesto - verità - probabile - regola.

Marco è contento che

io abbia tu abbia	accettato l'invito		sia sia	arrivato/a i/e in tempo
lui abbia noi abbiamo	preso questa decisione		sia siamo	sceso/a/i/e a salutarlo
voi abbiate loro abbiano	sentito la sua opinione		siate siano	venuto/a/i/e in tempo

V

1. Completate le frasi con la forma conveniente del congiuntivo presente o passato:

> Credo che oggi la segretaria *torni* in ufficio.   (tornare)
> Credo che ieri la segretaria *sia tornata* in ufficio.

Sperare   1. Spero che oggi ..*arrivi*.. la lettera che aspetto da   (arrivare)
tanti giorni.

Immaginare 2. Immaginiamo che Luisa *dorma* ancora.   (dormire)

VOLERE   3. Maria vuole che i figli *tengano* in ordine le loro   (tenere)
camere.

4. È un peccato che noi non .... il concerto   (sentire)
ieri sera.

sapere   5. Non so se Luigi *sappia* giocare a tennis.   (sapere)

avere l'impressione 6. Abbiamo l'impressione che loro non *capiscano* (capire)
un'acca di ciò che tu hai detto.

avere il dubbio 7. Carla ha il dubbio che il prossimo autunno il suo
ragazzo non *riusca* a laurearsi.   (riuscire)

8. Sono ormai le nove: mi sembra strano che Giorgio
non *abbia* ancora. *telefonato*   (telefonare)

9. Mi dispiace che lei la prossima estate *debba*   (dovere)
rinunciare alle vacanze.

10. Ci pare che Sergio non .... dire tutto ciò   (volere)
che sa.

Lessico nuovo: segretaria.

2. Come sopra:

1. Mi sembra che in quella occasione Franca si sia _comportata_ .... (comportarsi) in modo perfetto.
2. Non siamo convinti che loro si preparino .... per (prepararsi) quell'esame.
3. Occorre che tutti .... al lavoro. (mettersi)
4. Giorgio preferisce che voi vi riposiate un po' prima (riposarsi) di continuare il lavoro.
5. Penso che loro si siano sbagliato .... quando ti hanno dato (sbagliarsi) quella informazione.
6. È probabile che in futuro .... un'occasione (presentarsi) migliore.
7. Sono felice che Laura e Marco si sposino .... presto. (sposarsi)
8. Il signor Rossi aspetta che suo figlio si sistemi ...... e (sistemarsi) e poi andrà in pensione.
9. Ci dispiace che ieri Anna si sia preoccupata .... per noi. (preoccuparsi)
10. Non è vero che il signor Tofi .... più al (dedicarsi) lavoro che alla famiglia.

VI-1   *Uso del congiuntivo.*

Come avete visto, il congiuntivo si trova nella frase dipendente. Non in tutte le frasi dipendenti, però, è necessario usare il congiuntivo:

È certo che Giulio   *Non è certo* che Giulio
   (frase principale)   (frase principale)

ha sentito la sveglia.   *abbia sentito* la sveglia.
   (frase dipendente)   (frase dipendente)

L'uso del modo (indicativo o congiuntivo) nella frase dipendente è determinato da:

a) *il verbo della frase principale:*
   – se esprime certezza si avrà l'indicativo
   – se esprime incertezza si avrà il congiuntivo   } nella frase dipendente

b) *il significato della frase dipendente:*
   – se esprime oggettività si avrà l'indicativo
   – se esprime soggettività si avrà il congiuntivo   } nella frase dipendente

Lessico nuovo: certezza - incertezza - oggettività - soggettività.

c) *parole o espressioni che precedono* il verbo della frase dipendente;

d) *la struttura dell'enunciato* (la frase dipendente segue o precede la frase principale).

Nelle frasi indipendenti si usa di solito l'indicativo o il condizionale. In soli quattro casi si usa il congiuntivo.

Vediamo ora i diversi casi in cui si usano i due modi nella frase dipendente:

A. L'uso del modo è determinato dal verbo della frase principale:

INDICATIVO, se il verbo principale esprime:	CONGIUNTIVO, se il verbo principale esprime:
1. CERTEZZA OGGETTIVITÀ	1. INCERTEZZA OPINIONE SOGGETTIVA
	Non sono certo Non sono sicuro Non sono convinto
Sono certo È sicuro che lui *ha* ragione. È chiaro	Dubito Credo · · · che lui *abbia* ragione. Penso Mi pare Direi Immagino Suppongo
2. CERTEZZA OGGETTIVITÀ È sicuro	2. PROBABILITÀ/IMPROBABILITÀ POSSIBILITÀ/IMPOSSIBILITÀ È probabile
che Giulio *è* d'accordo con me. Mi hanno detto	improbabile che Giulio *sia* d'accordo con me. È possibile impossibile
3. CERTEZZA OGGETTIVITÀ So	3. PREOCCUPAZIONE PAURA Temo
che Carla *ha preso* una decisione giusta. Ho saputo	che Carla *abbia preso* una decisione sbagliata. Ho paura

Lessico nuovo: dubitare - supporre - probabilità - improbabilità - possibilità - impossibilità - improbabile - impossibile - preoccupazione - temere.

4. CERTEZZA
OGGETTIVITÀ
 	
Ho sentito
 	
    che Carlo *si è
    laureato* a
    pieni voti.
 	
Mi hanno detto
	4. STATO D'ANIMO
	SOGGETTIVO
	
	Sono felice
	
	    che Carlo *si sia
	    laureato* a pieni
	    voti.
	
	Sono contento

5. CERTEZZA
OGGETTIVITÀ
 	
Vedo
 	
    che Marta *è* di
    buon umore.
 	
È evidente
	5. SPERANZA
	ATTESA
	
	Spero
	
	    che Marta *sia* di
	    buon umore.
	
	Aspetto

6. CERTEZZA
OGGETTIVITÀ
 	
Vedo
 	
    che Franco *si
    occupa* di quella
    faccenda.
 	
Sono sicuro
	6. VOLONTÀ
	DESIDERIO
	
	Voglio
	Non voglio che Franco *si
	Pretendo occupi* di quella
	               faccenda.
	
	Preferisco
	Desidero

7. CERTEZZA
OGGETTIVITÀ
 	
Sono certo
 	
    che lui *chiede*
    il permesso.
 	
È sicuro
	7. NECESSITÀ
	OPPORTUNITÀ
	
	Bisogna
	È necessario che lui *chieda*
	Occorre il permesso.
	È opportuno

8. CERTEZZA
OGGETTIVITÀ
 	
Ho saputo
 	
    che la festa
    è riuscita.
 	
Mi hanno detto
	8. MANCANZA DI CERTEZZA
	
	Si dice
	Pare che la festa
	      sia riuscita.
	
	Sembra
	Dicono

9. DOMANDA DIRETTA Mi chiedo: "Come *può* parlare male di lui?"	9. DOMANDA INDIRETTA Mi chiedo come lei *possa* parlare male di lui.

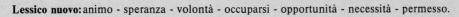

Lessico nuovo: animo - speranza - volontà - occuparsi - opportunità - necessità - permesso.

10. **Completate le frasi con le forme convenienti del congiuntivo presente o passato:**

1. Dubito che Marta *abbia capito* bene ciò che le hai detto.   (capire)

2. È difficile che Carlo *accetti* di cambiare programma.   (accettare)

3. Speriamo che anche domani *faccia* bel tempo.   (fare)

4. Mi sembra che Luisa *abbia preso* la laurea nel 1980.   (prendere)

5. Giulio è contento che suo padre *abbia deciso* di prendersi una vacanza.   (decidere)

6. Preferisco che voi mi *aspettiate* sotto casa.   (aspettare)

7. Bisogna che io *avverta* mia moglie che non torno a pranzo.   (avvertire)

8. Si dice che nei giorni scorsi i due capi di stato .... in una località segreta.   (incontrarsi)

9. I suoi genitori pretendono che Laura non *esca* da sola di sera.   (uscire)

10. Tutti si chiedono come quell'uomo *abbia guadagnato* tanti soldi in così poco tempo.   (guadagnare)

B. L'uso del modo è determinato dal significato della frase dipendente:

Frase dipendente INDICATIVO/ INFINITO	*Frase principale*	*Frase dipendente* CONGIUNTIVO
1. causa, motivo dell'azione perché sa fare da solo.	Non aiuto Mario	scopo, fine dell'azione perché (affinché) impari a fare da solo.
2. fine, scopo per farle compagnia.	Uscirò con Marta	frase concessiva sebbene preferisca restare a casa.

Lessico nuovo: scopo - affinché - sebbene.
Termini tecnici: concessivo.

3. causa, motivo	condizione
Vengo in macchina con voi	
perché di solito non correte troppo.	a patto che (purché) non corriate troppo.

4. causa, motivo	eccezione
Faremo tutto in segreto	
perché loro non devono accorgersene.	senza che loro se ne accorgano.

5. frase relativa realtà	frase relativa esigenza
Devo comprare una macchina	
che consuma meno. (so che esiste)	che consumi meno. (non so se esista)

6. Completate le frasi con le forme convenienti del verbo (indicativo o congiuntivo):

1. <u>Perché</u> lui _capisca_ qual è il vostro problema, dovete raccontargli tutto. *(finale)*　　(capire)

2. Laura continua a mangiare molto, sebbene _sia_ già troppo grassa.　　(essere)

3. Benché _abbia_ tutto ciò che vuole, Gianna non è mai contenta.　　(avere)

4. Cerchiamo una ragazza che _sappia_ scrivere a macchina.　　(sapere)

5. Devo comprare un appartamento, perché non _riesco_ a trovarne uno in affitto. *(causale)*　　(riuscire)

6. Andrò in macchina con Luigi, purché lui _accetti_ di dividere le spese.　　(accettare)

7. I Rossi viaggiano molto, <u>anche se</u> la loro situazione economica non _è_ buona. *(Sempre indicativo)*　　(essere)

8. Mi va bene qualsiasi cosa da bere, basta che _tolga_ la sete.　　(togliere) → irregolare

9. Dovresti scegliere un lavoro che ti _lasci_ abbastanza tempo per la famiglia.　　(lasciare)

10. Prenderemo un taxi, senza che Carlo _debba_ venire ad aspettarci alla stazione.　　(dovere)

Lessico nuovo: purché - realtà - esigenza - consumare.

C. L'uso del modo è determinato da parole o espressioni che precedono il verbo della frase dipendente:

Frase dipendente INDICATIVO	Frase principale	Frase dipendente CONGIUNTIVO
1. *dopo che* sarete usciti.	Parlerò con Lucio	*prima che* voi usciate.
2. *anche se* non è più di moda.	Continua a portare quel vestito	*benché* *sebbene* non sia più *nonstante* di moda. ~~*che*~~
3. *le persone che* hanno bisogno. *anche se* non so dove andate. *anche quando* ha dei problemi.	È pronto ad aiutare Verrò con voi È sempre allegro	*qualunque*⎫ persona *qualsiasi* ⎬ *chiunque* ⎭ abbia bisogno. *dovunque* andiate. *comunque vadano* le cose.
4. *poiché* me li rende entro una settimana.	Gli presto i soldi	*a patto che* me li *a condizione che* renda *purché* entro una *basta che* settimana.
5. Mario *è* un ragazzo *intelligente*.	Ti dico che	Mario è *il* ragazzo *più* *intelligente* che io *conosca*. Mario è *più intelligente* di quanto tu *creda*.

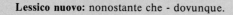

Lessico nuovo: nonostante che - dovunque.

6. **Completate le frasi con la forma conveniente del verbo:**

1. Benché ....*sia*.... quasi l'una, proverò lo stesso   (essere)
   a cercare Giulio in ufficio.

2. Scriverò a Carla, prima che ....*sappia*.... la notizia da   (sapere)
   altri.

3. Farete in tempo all'ultimo spettacolo, purché *si sbrighiate* (sbrigarsi)

4. Qualunque cosa io gli ....*dia*...., Sergio mi risponde   (dire)
   male.

5. Vi racconterò tutto, dopo che *sarà passato* questo   (passare)
   brutto momento. *(Indicativo / passato)*

6. Sebbene *ci tenga* tanto, Luigi è pronto a rinunciare   (tenerci)
   al viaggio se sarà necessario.

7. Dovunque ....*vada*...., Luisa si trova sempre bene.   (andare)

8. Preferiamo arrivare a casa prima che *si faccia* buio.   (farsi)

9. Puoi prendere il mio ombrello, basta che non lo ....*perda*.. (perdere)

10. Chiunque lo *conosca*, dice che Mario è un tipo   (conoscere)
    strano.

D. **L'uso del modo nella frase dipendente è determinato dalla struttura dell'enunciato.**

Come potete vedere, nelle frasi che seguono il congiuntivo non dipende né dal verbo della frase principale, né dal senso della frase dipendente o da espressioni che la precedono:

È fin troppo chiaro che lei non racconta la verità.

  1   2

Che lei non racconti la verità, *è fin troppo chiaro*.

        2   1

Siamo sicuri che mancano ancora pochi chilometri.

   1   2

Che manchino ancora pochi chilometri, *siamo sicuri*.

        2   1

Lessico nuovo: –

Tutti sanno che il fumo fa male alla salute.

    1   2

Che il fumo faccia male alla salute, *lo sanno tutti.*

               2   1

Nota: Con verbi come "sapere" e "dire" si ripete il pronome quando la
frase principale segue quella dipendente:

    – Molti sanno che il loro rapporto *è* in crisi.
    – Che il loro rapporto *sia* in crisi, *lo* sanno molti.

    – Anche Mario dice che tu *hai sbagliato.*
    – Che tu *abbia sbagliato, lo* dice anche Mario.

1. Trasformate le frasi secondo i modelli visti sopra:

1. È noto a tutti che questo non è un luogo tranquillo.

....

2. Solo Carlo dice che Anna parla bene l'inglese.

....

3. È evidente che quell'uomo ha alzato troppo il gomito.

....

4. È chiaro che Marta pensa solo alla carriera.

....

5. Non tutti sanno che il governo deve ottenere la fiducia delle due
Camere.

....

Lessico nuovo: fumo - salute.

VI-2

A. **Il congiuntivo non si usa quando il soggetto del verbo principale e del verbo dipendente è lo stesso:**

SOGGETTI DIVERSI	SOGGETTI UGUALI
Dubito che Marco *finisca* entro oggi.	Dubito *di finire* entro oggi.
Penso che loro *tornino* per l'ora di cena.	Penso *di tornare* per l'ora di cena.
Anna è convinta che Giulio *abbia* sempre ragione.	Anna è convinta *di avere* sempre ragione.

1. **Completate le frasi secondo il senso:**

1. Franco fa una vita sana.
   Ad Anna, invece, pare .... troppo.   (fumare)

2. Laura arriva oggi?
   No, credo .... domani.   (arrivare)

3. Vi piace questo posto?
   Molto, e siamo contenti .... ancora qualche giorno.   (restarci)

4. Perché non vai in macchina?
   Perché ho paura .... troppo traffico.   (trovare)

5. Perché Lei non vuole che loro partano in macchina?
   Perché temo .... troppo traffico.   (trovare)

6. I prezzi sono saliti di nuovo.
   Io credo .... ancora.   (salire)

7. Secondo voi Marco fa bene a cambiare lavoro?
   No, crediamo ....   (sbagliare)

8. Farete in tempo al treno delle sei?
   No, temiamo ....   (perderlo)

9. Ho invitato Luisa a pranzo per domani.
   Siamo contenti .... dopo tanto tempo.   (rivederla)

10. Gianni è innamorato di una ragazza che ha conosciuto al mare.
    Speriamo .... sul serio.   (fare)

Lessico nuovo: –

B. Il fatto che l'indicativo sia il modo della certezza e il congiuntivo il modo dell'incertezza è vero solo in parte. Come avete potuto vedere, lo stesso concetto d'incertezza si può esprimere in diversi modi:

È probabile che Giulio voglia	
Probabilmente　　　　Giulio　vuole Forse　　　　　　　　　　　　　vorrà 　　　　　　　　　　　　　　　vorrebbe	uscire

Il congiuntivo si usa soltanto nel primo caso, perché lo richiede il verbo della frase principale. Le altre frasi sono indipendenti, per cui lo stesso concetto d'incertezza si esprime attraverso gli avverbi "probabilmente" e "forse" seguiti dall'indicativo o dal condizionale.

C. In diversi casi l'uso del congiuntivo rappresenta soltanto una scelta stilistica. Soprattutto nello stile informale si tende a sostituire il congiuntivo con l'indicativo, senza che con ciò cambi il senso dell'enunciato:

1. Pensiamo che Franco *ha*　　molte buone qualità.
2. Pensiamo che Franco *abbia* molte buone qualità.

1. Non sono sicura che Marco *accetterà* quel posto.
2. Non sono sicura che Marco *accetti*　　quel posto.

VII　**Completate le frasi con le forme convenienti del congiuntivo presente o passato:**

1. Siamo contenti che finalmente Carlo .... un lavoro.　　　　　　　　　　　　　　　　　　　　　　　　(trovare)

2. Benché .... sempre attento a non dimenticare nulla, Luigi ha lasciato l'ombrello in treno.　　　　　(stare)

3. Dovrò tornare in ufficio, sebbene non ne .... nessuna voglia.　　　　　　　　　　　　　　　　　　　(avere)

4. Cerchiamo una ragazza che .... ai bambini due ore al giorno.　　　　　　　　　　　　　　　　　　　(badare)

5. Correggerò quello che hai scritto, purché tu lo .... a macchina.　　　　　　　　　　　　　　　　　　(battere)

6. Prima che i prezzi ...., dobbiamo deciderci a cambiare casa.　　　　　　　　　　　　　　　　　　　(aumentare)

Lessico nuovo: concetto - probabilmente - richiedere - stile - informale.

7. Dovunque tu lo ...., quel quadro sta sempre bene. (mettere)

8. Chiunque .... quel libro afferma che è il migliore. (leggere)

9. Bere un po' di vino fa bene, basta che uno non .... (esagerare)

10. Dobbiamo fare tutto in segreto, senza che nessuno lo

....   (sapere)

VIII

A. La concordanza dei tempi del congiuntivo presente e passato.

Per realizzare in modo corretto la concordanza dei tempi nell'ambito del congiuntivo, è sufficiente riferirsi all'uso dei tempi del modo indicativo (v. Unità 17, VI. 2):

			domani	*starà*	
È certo	che Carla	⇄	oggi	*sta*	a casa tutto il giorno.
			ieri	*è stata*	
Non è certo	che Carla	⇄	domani	*stia* (starà)	
			oggi	*stia*	a casa tutto il giorno.
			ieri	*sia stata*	

Nota: Come potete vedere, se il verbo principale che richiede il congiuntivo è al presente, il verbo dipendente può stare soltanto al presente o al passato. Il presente congiuntivo, infatti, esprime anche l'azione futura rispetto a quella principale al presente.

B. Uso del congiuntivo (presente e passato) nelle frasi indipendenti.

Come abbiamo detto al punto VI, il congiuntivo si usa anche in alcune frasi indipendenti. Vediamo qui i due casi in cui vengono usate le forme del presente e del passato, mentre nell'Unità 20 vedremo gli altri due casi di congiuntivo indipendente.

1) Per esprimere il desiderio o l'augurio che qualcosa accada, o per dare un ordine indiretto si usa *il congiuntivo presente*, per lo più alle terze persone:

– Il gioco sta per cominciare.
– Che *vinca* il migliore!

Lessico nuovo: ambito - augurio - gioco.

- È venuto all'improvviso Gianni.
- Che *aspetti*! Così impara a telefonare prima di venire.

- Dovresti accompagnare a casa gli ospiti.
- Non mi va di uscire: che *prendano* un taxi!

2) Per esprimere un dubbio o un'ipotesi si usa il *congiuntivo presente o passato*:

- Sono diversi giorni che non vedo Grazia: che *stia* male?
- No, l'ho vista l'altro ieri e stava benissimo.

- Carla dice che non ha ricevuto la lettera che le ho spedito dieci giorni fa.
- Che *sia andata* smarrita?

- Mi *preghino* anche in ginocchio, non rinuncerò alla moto.
- Pure Luisa vorrebbe parlarti a questo proposito.
- *Si tolga* dalla testa che io l'ascolti!

C. Raccontate il contenuto del dialogo introduttivo, completando il seguente testo:

Giulio e Marco pensano che per fare un programma di viaggio ....
meglio .... ad un'agenzia. Giulio propone di scegliere un'agenzia
seria che .... suggerirgli un programma interessante e ....
delle loro ....
A Marco sembra che le bellezze naturali ed artistiche della Grecia ....
superiori .... quelle della Jugoslavia, paese dove Giulio propone di
andare. Lui crede, infatti, che questo paese non .... niente da ....
.... alla Grecia.
Quando Giulio dice che bisogna che uno di loro .... sui prezzi e
sulle .... per studenti, Marco risponde che prima di andare
all'agenzia è necessario che loro .... quale paese vogliono visitare.
Giulio non ha le idee .... e dice a Marco che gli va bene
qualunque posto lui ....
Marco accetta questa responsabilità, a patto che poi Giulio non gli ....
la colpa .... una decisione sbagliata.

Lessico nuovo: improvviso (all'i.) - ospite - ipotesi - smarrito - ginocchio.

D. Conversazioni.

1. – Permetti che io faccia una breve telefonata in teleselezione?
   – Certo! Conosci il prefisso?
   – Sì. Spero solo di avere fortuna.
   – Perché?
   – Stamattina ho provato più volte, ma non ho avuto la comunicazione.
   – Che sia stata guasta la linea?
   – Se anche ora non ci riesco, farò la chiamata attraverso il centralino.

2. – Prima di uscire aspetto che passi il postino.
   – Credi che ci sia posta per te?
   – Dovrebbe esserci la ricevuta di ritorno di una raccomandata che ho spedito otto giorni fa.
   – Dubiti che la tua lettera sia andata smarrita?
   – No, comunque finché non torna indietro la ricevuta non ho la certezza che la lettera sia arrivata al destinatario.

3. – Il cielo si è fatto scuro e la temperatura è scesa. Temo che fra poco scoppi un temporale.
   – Prima che cominci a piovere devo correre a casa per chiudere le finestre.
   – Vuoi che ti accompagni in macchina?
   – No, grazie, vado a piedi, senza che tu ti disturbi ad uscire.

IX   *Rispondete alle seguenti domande:*

1. Quando fa un programma di viaggio, Lei si rivolge di solito ad un'agenzia?

2. Quando decide di fare un viaggio all'estero, con quali criteri sceglie il paese da visitare?

3. Secondo Lei, qual è il paese in cui la vita è più a buon mercato per passare le vacanze?

4. Si dice che l'Italia sia il paese ideale in questo senso. Lei è d'accordo? Perché?

5. Qual è il viaggio che ricorda con più piacere? Lo descriva.

Lessico nuovo: teleselezione - guasto (agg.) - linea - chiamata - centralino - postino - ricevuta - raccomandata - finché - scuro - scoppiare - temporale - criterio - ideale (agg.).

X   *Test*

A. Completate le frasi con il verbo al modo conveniente:

1. Bisogna che voi .... per tempo se volete   (prenotare)
   trovare posto in albergo.

2. Marco pretende .... più di tutti.   (capire)

3. Mi dispiace davvero che Lei non .... venire   (potere)
   con noi stasera.

4. Non è possibile che Sergio .... del tuo   (dimenticarsi)
   compleanno.

5. Suppongo che loro .... del tuo arrivo da Lucia. (sapere)

6. Speriamo .... un lavoro che ci piace.   (trovare)

7. Direi che questo vino .... migliore di quello   (essere)
   che abbiamo bevuto prima.

8. Perché non aspettate che .... di piovere,   (smettere)
   invece di uscire subito?

9. Mi chiedo come Anna .... a superare   (riuscire)
   l'esame di latino.

10. Che loro non .... intenzione di spendere una   (avere)
    somma così alta, lo si può capire.

B. Completate le frasi secondo il senso:

1. So che quel negozio .... molto buono.

2. Secondo me quel negozio .... molto buono.

3. Credo che quel negozio .... molto buono.

4. Dicono che quel negozio .... molto buono.

5. Non sono convinto che quel negozio .... molto buono.

6. Sebbene .... molto buono, quel negozio non ha molti clienti.

7. Anche se .... molto buono, quel negozio non ha molti clienti.

8. Chiunque .... la spesa in quel negozio, dice che è molto
   buono.

9. Che quel negozio .... buono, lo dicono tutti.

10. Quel negozio .... buono davvero, se lo dicono tutti.

Lessico nuovo: –

C. Mettete le parole fra parentesi nel posto che di solito occùpano nella frase:

1. Credo che Sandro non sia stato all'estero.   (mai)

2. Dicono che quel ragazzo sia stato il migliore della classe.   (sempre)

3. Credo che non sia tornato nel paese in cui è nato.   (più)

4. Mi dispiace che non abbiate trovato un appartamento adatto
   a voi.   (ancora)

5. Si dice che abbiano scoperto un'altra tomba etrusca.   (appena)

D. Fate l'XI test.

Lessico nuovo: –

A questo punto Lei conosce
1771 parole italiane

Turista : *Scusi,* mi sa dire come si arriva in Piazza Garibaldi?

Passante: Mi *dia* la pianta, così Le mostro quale strada deve fare.

Turista : *Tenga*! Ma non vorrei farLe perdere troppo tempo.

Passante: *Non si preoccupi!* Ho appena perduto l'autobus e in ogni caso devo aspettare il prossimo.

Turista : Allora mi *faccia* la cortesia d'indicarmi dove siamo ora.

Passante: *Guardi!* Ci troviamo qui. Piazza Garibaldi è al di là del fiume ... eccola!

Turista : Arrivarci non è uno scherzo!

Passante: In macchina è abbastanza complicato, perché ci sono diversi sensi unici. Se va con i mezzi pubblici, deve prenderne due.

Turista : Mi *dia* un consiglio!

Passante: Se non è pratico della città, *eviti* di usare la macchina. A quest'ora il traffico è intenso e in certi punti si formano degli ingorghi terribili.

Turista : In effetti potrei lasciare la macchina in un parcheggio e prendere un taxi.

Passante: Se non ha fretta, *prenda* l'autobus 86 e *scenda* al capolinea. Lì accanto c'è la fermata del 42 che La porta a due passi da Piazza Garibaldi.

Turista : *Senta,* un'ultima domanda! C'è un parcheggio qua vicino?

Passante: Sì, ce n'è uno a pagamento proprio di fronte alla fermata dell'86. Per arrivarci, *segua* la freccia che indica il centro; al primo semaforo *giri* a destra e poi *vada* sempre diritto.

Turista : Grazie infinite!

Passante: Di nulla!

diciannovesima unità
(unità numero diciannove)

imperativo indiretto

Lessico nuovo: diciannovesimo - passante - pianta - mostrare - pratico - evitare - ingorgo - capolinea - fermata - pagamento - freccia - semaforo - diritto (avv.).

II   *Ora ripetiamo insieme:*

- Scusi, mi sa dire come si arriva in Piazza Garibaldi?

- Mi dia la pianta, così Le mostro quale strada deve fare.

- Guardi! Ci troviamo qui.

- Mi dia un consiglio!

- Se non è pratico della città, eviti di usare la macchina!

- Senta, un'ultima domanda!

III   *Rispondete alle seguenti domande:*

1. Cosa chiede il turista ad un passante?
2. Il passante dove gli mostra la strada che deve fare?
3. Perché il passante non ha fretta?
4. Perché è abbastanza complicato arrivare in Piazza Garibaldi in macchina?
5. Per quale ragione il passante consiglia al turista di evitare di usare la macchina a quell'ora?
6. Cosa pensa di fare allora il turista?
7. Cosa chiede infine al passante?

IV

A. Forme dell'imperativo indiretto (Lei - Loro).

Nell'Unità 11 avete potuto vedere come le forme dell'imperativo diretto non siano altro che quelle dell'indicativo presente, a parte la seconda persona (TU) dei verbi in −ARE.
Le forme dell'imperativo indiretto sono invece, senza alcuna eccezione, le stesse del congiuntivo presente:

Lessico nuovo: −

Congiuntivo presente	*Imperativo indiretto*

prendere

È meglio che Lei *prenda* l'autobus.	*Prenda* l'autobus, è meglio!
È meglio che Loro *prendano* l'autobus.	*Prendano* l'autobus, è meglio!

seguire

Bisogna che Lei *segua* la freccia che indica il centro.	*Segua* la freccia che indica il centro!
Bisogna che Loro *seguano* la freccia che indica il centro.	*Seguano* la freccia che indica il centro!

capire

Mi pare che Lei *capisca* la situazione.	*Capisca* la situazione!
Mi pare che Loro *capiscano* la situazione.	*Capiscano* la situazione!

girare

È conveniente che Lei *giri* a destra.	*Giri* a destra!
È conveniente che Loro *girino* a destra.	*Girino* a destra!

> Verbi in –ARE, –ERE, –IRE
> Lei - Loro = congiuntivo presente

Osservate!

a. A differenza dell'imperativo diretto, le forme dell'imperativo indiretto dei verbi in –ARE sono *regolari*.

b. Il pronome *Loro* rappresenta la versione *formale* del plurale di *Lei*. Di solito, quando ci si rivolge a più persone usando la forma di cortesia, si usa la seconda persona plurale (voi).

Singolare   *Plurale*

                      voi

Lei

                      Loro

Lessico nuovo: versione.

1. Mettete le seguenti frasi all'imperativo indiretto:

1. È meglio che Lei resti a casa con questo tempo. ....!
2. È meglio che Loro partano in aereo. ....!
3. Preferiamo che Lei rimanga con noi. ....!
4. È utile che Lei dia un consiglio a Mario. ....!
5. È possibile che Loro finiscano entro domani. ....!
6. Spero che Lei accetti il nostro invito. ....!
7. È bene che Lei scelga ciò che preferisce. ....!
8. Spero che Loro abbiano ancora un po' di pazienza. ....!
9. È meglio che Lei salga con l'ascensore. ....!
10. Siamo contenti che Lei venga spesso a trovarci. ....!

2. Pregate un conoscente:

1. di scrivere a macchina. ....!
2. di esprimere la sua opinione. ....!
3. di aprire la finestra. ....!
4. di finire il discorso. ....!
5. di parlare lentamente. ....!
6. di fare attenzione a ciò che dite. ....!
7. di correggere i vostri errori. ....!
8. di dire tutta la verità. ....!
9. di perdonare il ritardo. ....!
10. di essere preciso. ....!

B. L'imperativo indiretto con i pronomi (semplici e combinati).

TU - VOI - NOI	LEI - LORO
Scusa*mi* del ritardo, Franca!	*Mi* scusi del ritardo, signora!
Se vedi Giulio, saluta*lo* da parte mia!	Se vede Giulio, *lo* saluti da parte mia!

Lessico nuovo: –

Sono nuove quelle foto? Fate*cele* vedere!

Sono nuove quelle foto? *Ce le* facciano vedere!

Quando parli con Luigi, chiedi*gli* a che ora viene!

Quando parla con Luigi, *gli* chieda a che ora viene!

Il museo è aperto: va*cci!*

Il museo è aperto: *ci* vada!

È tardi: sbriga*tevi!*

È tardi: *si* sbrighino!

Togli*ti* dalla testa di poter trovare subito un lavoro!

Si tolga dalla testa di poter trovare subito un lavoro!

1. Mettete le frasi all'imperativo indiretto:

1. Non ho capito ciò che hai detto: ripetimelo, per favore!

   ....

2. Se non vuoi ascoltare la radio, spegnila pure!

   ....

3. Carlo non conosce quella ragazza: presentagliela!

   ....

4. Quando arrivate, fatecelo sapere per tempo!

   ....

5. Se la valigia ti pesa, dalla a me!

   ....

6. A tavola siediti accanto a me!

   ....

7. Se ti piace stare qui, restaci pure!

   ....

8. Non ho niente da dirti: vattene pure!

   ....

9. Questa lettera è pesante: mettici un altro francobollo!

   ....

10. Ho finito le sigarette: offrimene una delle tue, per favore!

    ....

Lessico nuovo: –

C. Forma negativa dell'imperativo indiretto.

In tutti i casi si ottiene premettendo "non" alla forma positiva dell'imperativo indiretto:

Guardi	da questa parte!	*Non guardi*	da quella parte!
Guardino		*Non guardino*	

Prenda	l'autobus!	*Non prenda*	l'autobus!
Prendano		*Non prendano*	

Segua	la freccia per il centro!	*Non segua*	altre indicazioni!
Seguano		*Non seguano*	

Abbia	la cortesia di ascoltarmi!	*Non abbia*	fretta di rispondere!
Abbiano		*Non abbiano*	

Sia	gentile con i turisti!	*Non sia* sgarbato con i turisti!
Siano	gentili con i turisti!	*Non siano* sgarbati con i turisti!

1. Mettete le frasi alla forma negativa:

1. Quel film è interessante: vada a vederlo!

   ....

2. Dica a Sandro che sto bene!

   ....

3. Vada via se ha fretta!

   ....

4. Diano una bella mancia al cameriere se è gentile con Loro!

   ....

5. Chiedano uno sconto: lo riceveranno!

   ....

Lessico nuovo: premettere - indicazione - sgarbato.

D. Imperativo negativo con i pronomi.

A differenza dell'imperativo diretto, la forma negativa dell'imperativo indiretto può soltanto seguire il pronome e non si lega mai ad esso:

IMPERATIVO
DIRETTO

IMPERATIVO
INDIRETTO

È un libro noioso:

non legger*lo*!
non *lo* leggere!

non *lo* legga!

Fa piuttosto caldo:

non coprir*ti* troppo!
non *ti* coprire troppo!

non *si* copra troppo!

È una zona pericolosa di notte:

non andate*ci*!
non *ci* andate!

non *ci* vadano!

Ho già tante cose da fare:

non date*mene* altre!
non *me ne* date altre!

non *me ne* diano altre!

Imperativo negativo

diretto

| *verbo + pronome* |
| *pronome + verbo* |

indiretto

| *pronome + verbo* |

1. Completate le frasi con la forma negativa dell'imperativo e con il pronome conveniente:

1. L'autobus che Lei doveva prendere è già partito!

   .... !   (aspettare)

2. Il biglietto serve Loro anche per il ritorno: ....! (buttare)

3. Quelle scarpe non sono adatte per camminare a lungo:

   ...., signora!   (mettere)

4. Prenda pure questo libro per leggerlo, ma ...., (perdere)
   perché ci tengo molto!

5. Se Suo marito dorme, ...; passerò più tardi.   (svegliare)

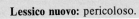

Lessico nuovo: pericoloso.

6. Sono persone che parlano male di Loro: .... !   (frequentare)
7. Quando vede la signorina Rossi, ... che   (dire)
   stasera andiamo a cena fuori, altrimenti vorrà venire
   con noi.
8. Il signor Franchi ha detto Loro quelle parole per scherzo:
   .... sul serio!   (prendere)
9. La Sua macchina va ancora bene: .... !   (vendere)
10. Se Suo figlio Le chiede la moto, ...; è troppo   (comprare)
    pericolosa!

V

1. Completate i dialoghi secondo il senso, usando la conveniente forma dell'imperativo indiretto:

1. È tardi, devo proprio andare.
   Se ha ancora qualche minuto, ..., così usciamo insieme.
2. ...., potrebbe cambiarmi diecimila lire?
   Io non le ho; .... a chiedere nel negozio accanto.
3. Da un po' di tempo ho sempre la tosse.
   .... di fumare, vedrà che starà subito meglio.
4. Che vino preferisce?
   .... Lei, io non m'intendo di vini.
5. Saprebbe dirci come si arriva in piazza della Repubblica?
   .... sempre diritto fino al secondo semaforo e poi .... a destra.
6. Ci dispiace di averLa disturbata, signora.
   ...., è stato un piacere per me!
7. Quando vedo Luigi devo dirgli qualcosa da parte Sua?
   Sì, gli .... che aspetto ancora una risposta da lui.
8. Il nostro albergo è scomodo, perché è fuori mano.
   La prossima volta che vengono, mi .... in tempo, così posso prenotare Loro un albergo più centrale.
9. Ho paura di non superare l'esame.
   .... tranquilla; vedrà che è meno difficile di quanto Lei pensi.
10. Mi mette pensiero di fare un viaggio così lungo in macchina.
    .... l'aereo, così non si stanca a guidare.

Lessico nuovo: –

2. Mettete le frasi alla forma negativa:

1. Sale tutte quelle scale a piedi? ...., c'è l'ascensore!

2. Rimane a casa anche stasera? ...., esca con noi!

3. Va in quel luogo affollato? ...., c'è troppa confusione!

4. Fa il biglietto di sola andata? ...., non è conveniente!

5. Ascolta ciò che dice Carla? ...., è arrabbiata!

6. Dà la colpa a Mario? ...., lui non c'entra!

7. Tiene tutti i risparmi in banca? ...., ci compri qualcosa!

8. Esce con la giacca? ...., fa molto caldo!

9. Racconta tutto a Luigi? ...., è una persona indiscreta!

10. Scrive con la matita? ...., altrimenti non si legge bene!

3. Completate le frasi con la forma conveniente dell'imperativo indiretto e con il relativo pronome:

1. Se ha deciso di cambiare macchina, ... subito,   (farlo)
   prima che i prezzi aumentino.

2. Quando ha finito di guardare il giornale, ...   (passarmelo)
   per favore!

3. Quel ragazzo è già ubriaco: non .... più da bere! (dargli)

4. Oggi l'aria è umida: .... bene!   (coprirsi)

5. Se non Le interessa ascoltare la radio, ... pure! (spegnerla)

6. Maria è curiosa di sapere quanto tempo Lei resta qui:
   non ....!   (dirglielo)

7. L'antipasto è ottimo: .... anche Lei!   (prenderlo)

8. Ho voglia di bere un po' di aranciata: .... un   (offrirmene)
   bicchiere!

9. Le statistiche non dicono sempre la verità: ....!   (crederci)

10. Posso fare tutto da solo: non .... per me!   (preoccuparsi)

Lessico nuovo: –

4. Trasformate il discorso diretto in discorso indiretto:

> Gli dissi: *"Vada* a vedere quel film!"
> Gli dissi *di andare* a vedere quel film.

1. Gli dissi: "Ritorni più tardi!"

....

2. Gli consigliò: "Eviti di usare la macchina!"

....

3. Gli disse: "Segua la freccia che indica il centro!"

....

4. La pregò: "Capisca la situazione!"

....

5. Le suggerì: "Scriva a macchina!"

....

6. Gli dissero: "Abbia pazienza!"

....

7. La pregai: "Parli più lentamente!"

....

8. Gli rispose: "Non si preoccupi di nulla!"

....

9. Lo pregammo: "Ci dia un passaggio fino al centro!"

....

10. Gli dissi: "Vada sempre diritto fino al semaforo!"

....

VI   **Imperativo irregolare.**

Nell'Unità 11 abbiamo visto che alcuni verbi hanno forme irregolari alla
seconda persona singolare dell'imperativo diretto (TU).
Vediamo ora che quegli stessi verbi sono regolari all'imperativo indiretto,
cioè prendono le forme del congiuntivo presente, come tutti gli altri verbi:

Lessico nuovo: –

354/trecentocinquantaquattro

TU	LEI

andare

Va' a vedere quel film: è molto bello!

Se vuoi andare al cinema, *vacci* pure!

Se ti annoi a stare qui, *vattene!*

Vada a vedere quel film: è molto bello!

Se vuole andare al cinema, *ci vada* pure!

Se si annoia a stare qui, *se ne vada!*

dare

Da' qualcosa da mangiare al cane!

Ho molto da fare: *dammi* una mano!

Se hai finito di leggere il giornale, *dammelo!*

Dia qualcosa da mangiare al cane!

Ho molto da fare: *mi dia* una mano!

Se ha finito di leggere il giornale, *me lo dia!*

fare

Fa' presto, ti prego!

Fammi il favore di chiudere la porta!

Non ho tempo di fare la spesa: *fammela* tu, per favore!

Faccia presto, La prego!

Mi faccia il favore di chiudere la porta!

Non ho tempo di fare la spesa: *me la faccia* Lei, per favore!

stare

Sta' attento a dove metti i piedi!

Se qui ti trovi bene, *stacci* quanto vuoi!

Stia attento a dove mette i piedi!

Se qui si trova bene, *ci stia* quanto vuole!

dire

Di' a Marta di telefonarmi!

Dimmi quando sei stanca!

Se c'è qualcosa che non va, *dimmelo!*

Dica a Marta di telefonarmi!

Mi dica quando è stanca!

Se c'è qualcosa che non va, *me lo dica!*

avere

Abbi pazienza! Finisco subito!

Abbia pazienza! Finisco subito!

essere

Sii più calma e prendi la vita come viene!

Sia più calma e prenda la vita come viene!

Lessico nuovo: –

VII *Completate le frasi secondo il senso, usando la conveniente forma*
dell'imperativo indiretto:

1. Prenda pure un altro bicchiere di vino; .... complimenti!

2. .... tanto cortese da imbucarmi questa lettera!

3. .... fermo così: Le faccio una foto!

4. .... un passaggio a chi non conosce!

5. .... fiducia in lui: è una persona su cui può contare.

VIII

A. Raccontate il contenuto del dialogo introduttivo, completando il
seguente testo:

Il turista chiede ad un passante di .... come si fa ad arrivare in
Piazza Garibaldi. Il passante dice al turista .... la pianta della città
sulla .... potrà mostrargli la strada che deve fare. Il turista non
vorrebbe fargli perdere tempo, ma il passante gli risponde ....,
perché in ogni caso deve aspettare .... autobus.
Quando il turista vede dov'è Piazza Garibaldi rispetto al punto ....
si trova, dice che non è .... arrivarci. Infatti è abbastanza
complicato raggiungerla sia .... macchina che .... i mezzi
pubblici. Il passante gli suggerisce .... usare la macchina perché
a .... il traffico è .... e gli consiglia .... l'autobus
86 e .... al capolinea. Quando il turista gli chiede se c'è un
parcheggio .... risponde di sì e aggiunge che per arrivarci ....
la freccia che .... il centro e al primo semaforo .... a destra.

B. Conversazioni.

– Potrei provare questa gonna?
– Prego! Si accomodi in cabina!
– Dov'è?
– Dietro quella tenda rossa.

– Ascolti questa canzone! La conosce?
– Aspetti un momento! Ci sono: è "Sapore di sale".
– Mi ricorda l'estate di molti anni fa.
– Non me ne parli! Provo una sottile nostalgia per quei tempi felici.

– Il prezzo di questi orecchini mi sembra un po' alto.
– Tenga presente che sono d'oro e tutti fatti a mano.
– Me li faccia vedere da vicino.
– Guardi!
– Non c'è che dire: sono proprio belli.

Lessico nuovo: cabina - tenda - canzone - sapore - sale - sottile - oro.

IX   *Rispondete alle seguenti domande:*

1. Per cercare una via di una città che non conosce, Lei preferisce andare a piedi, in macchina o con i mezzi pubblici?

2. Nella Sua città normalmente la gente si muove in macchina o usa i mezzi pubblici? Dica perché.

3. Quali sono le ore in cui il traffico è più intenso?

4. È facile orientarsi nella Sua città? Perché?

5. Descriva ad un compagno di classe come si arriva dalla scuola a casa Sua nel modo più rapido.

X   *Test*

A. Completate le frasi con la forma conveniente dell'imperativo indiretto:

1. Se vuole sentire il concerto, ...: comincia fra poco!   (sbrigarsi)

2. La Sua chitarra è magnifica: .... vedere da vicino!   (farmela)

3. .... a sentire, per favore! Devo dirLe una cosa importante.   (starmi)

4. Questo pesce è ottimo: .... anche Lei!   (prenderlo)

5. Se non riesce a trovare quel testo in libreria, ... in biblioteca!   (cercarlo)

6. La Sua macchina non funziona bene: .... controllare da un meccanico!   (farla)

7. Cameriere, ... il conto, per favore!   (portarci)

8. Sono tutti in maniche di camicia: .... la giacca anche Lei!   (togliersi)

9. Se questi discorsi per Lei sono noiosi, ... pure!   (dirmelo)

10. Mario non è riuscito a trovare un biglietto per il teatro: .... Lei, per favore!   (procurarglielo)

Lessico nuovo: rapido.

B. Mettete le frasi alla forma di cortesia (Lei):

1. Non dimenticarti della promessa che mi hai fatto!

....

2. Non credere che la ricchezza sia tutto nella vita!

....

3. Se Laura ti chiede questo favore, non rifiutarglielo!

....

4. Non andartene: alle sei abbiamo una riunione!

....

5. Quella lampada serve a me: non spegnerla, per favore!

....

6. Le scarpe con il tacco sono scomode: non mettertele!

....

7. In terrazza fa freddo: non andarci!

....

8. Anche se credi che Carla abbia torto, non dirglielo apertamente!

....

9. Le indicazioni che ti hanno dato sono sbagliate: non seguirle!

....

10. Non è un luogo adatto per i bambini: non portarceli!

....

C. Scrivete accanto ad ogni parola (o espressione) il sinonimo che conoscete:

1) aumentare ....   6) intenso   ....
2) evitare   ....   7) sconto   ....
3) mostrare   ....   8) di fronte a ....
4) perdonare   ....   9) in effetti   ....
5) gentile   ....   10) in ogni caso ....

Lessico nuovo: –

A questo punto Lei conosce
1797 parole italiane

Ann è appena tornata a Londra da un soggiorno di studio in Italia. Quando si presenta in classe, i compagni sono curiosi di conoscere le sue impressioni sul paese di cui stanno studiando la lingua.

John: Allora, dicci, Ann: l'Italia è proprio come l'immaginavi?

Ann : Ad essere sincera, non esattamente. Tanto per cominciare, *mi aspettavo* che <u>splendesse</u> sempre il sole, insomma che il cielo <u>fosse</u> sempre sereno e azzurro, invece ho scoperto che talvolta c'è una nebbia del tutto simile a quella di Londra e che spesso piove per giorni e giorni, come da noi.

John: Visto che con il tempo non hai avuto molta fortuna, hai almeno trovato una buona sistemazione?

Ann : Sì, almeno nel senso che intendo io. *Sebbene* la scuola <u>avesse</u> già <u>prenotato</u> per me una camera alla casa dello studente, *ho pensato* che <u>fosse</u> meglio vivere in un ambiente esclusivamente italiano. Così mi sono messa alla ricerca di una famiglia con figli della mia età e dopo molti tentativi sono riuscita a trovarla.

John: Dunque hai potuto avere una conoscenza diretta della gente italiana. E che impressione hai ricevuto?

Ann : Un'impressione completamente diversa da quella che avevo prima.

John: E cioè?

Ann : Prima *credevo* che tutti gli italiani <u>fossero</u> bassi, <u>avessero</u> occhi e capelli neri, <u>suonassero</u> la chitarra e <u>cantassero</u> con belle voci, <u>si esprimessero</u> più con i gesti che con le parole, che *facessero* la corte a tutte le ragazze e che <u>mangiassero</u> spaghetti a pranzo e a cena. Ben presto, però, mi sono accorta che erano tutti luoghi comuni, come quello per esempio, su noi inglesi, che saremmo tutti di ghiaccio.

Liza : *Prima che* tu <u>dicessi</u> tutto questo, *ero* già *convinta* che <u>non si possa</u> conoscere un paese e la sua gente senza avere un'esperienza diretta. Ma ora *vorrei* che tu <u>finissi</u> di dirci in che senso le tue idee sono cambiate.

Lessico nuovo: ventesimo - sincero - aspettarsi - splendere - sereno - azzurro - talvolta - nebbia - sistemazione - ambiente - ricerca - tentativo - conoscenza - completamente - cantare - gesto - corte - ghiaccio.

Ann : Quando da noi si parla degli italiani, si pensa di solito a quelli di mezza età e soprattutto del Sud. Si dimentica che esistono tanti giovani che invece non si distinguono da quelli di altri paesi. Anch'io *credevo* che i ragazzi italiani <u>avessero</u> idee e gusti diversi dai nostri, ma quando ho conosciuto da vicino i figli della padrona di casa e i loro amici ho cambiato opinione.

Frank: Del resto una persona intelligente dovrebbe rifiutare i luoghi comuni.

Ann : È vero, ma a forza di leggere e sentire le stesse cose su un paese, uno si convince che siano vere.

II   *Ora ripetiamo insieme:*

- Mi aspettavo che in Italia splendesse sempre il sole.

- Ho pensato che fosse meglio vivere in un ambiente esclusivamente italiano.

- Prima credevo che tutti gli italiani fossero bassi e avessero occhi e capelli neri.

- Ora vorrei che tu finissi di dirci in che senso le tue idee sono cambiate.

- Anch'io credevo che i ragazzi italiani avessero idee e gusti diversi dai nostri.

III   *Rispondete alle seguenti domande:*

1. Che cosa sono curiosi di conoscere i compagni di Ann?
2. Cosa si aspettava Ann, andando in Italia?
3. Cosa ha scoperto, invece?
4. Che idea aveva degli italiani prima del viaggio in Italia?
5. Di che cosa era convinta Liza prima ancora di sentire il racconto di Ann?
6. Che cosa credeva Ann prima di conoscere da vicino i figli della padrona di casa e i loro amici?
7. Che cosa succede, secondo Ann, a forza di sentire le stesse cose su un paese?

IV   *Forme del congiuntivo imperfetto e trapassato.*

Come l'imperfetto indicativo, l'imperfetto congiuntivo è un tempo per lo più regolare:

suonare	avere	finire
suonAVO	avEVO	finIVO
suonASSI	avESSI	finISSI

Lessico nuovo: distinguersi - gusto - padrona - resto (del r.) - racconto.

A.

	suonARE		aVERE		finIRE	

Loro credevano che

io	suonassi		avessi		finissi	
tu	suonassi		avessi		finissi	
lui/lei	suonasse	la chitarra	avesse	una bella	finisse	per cantare
noi	suonassimo		avessimo	voce	finissimo	
voi	suonaste		aveste		finiste	
loro	suonassero		avessero		finissero	

essere

		io	fossi	
		tu	fossi	
Lei immaginava che		lui/lei	fosse	d'accordo con lei
		noi	fossimo	
		voi	foste	
		loro	fossero	

Nota: Poiché le forme delle prime due persone sono uguali, è opportuno usare il pronome (io - tu), quando dal contesto non risulta chiaro chi fa l'azione.

Osservate!

Per i verbi irregolari le forme dell'imperfetto congiuntivo sono simili a quelle dell'imperfetto indicativo:

bere	bevevo	bevessi
dire	dicevo	dicessi
fare	facevo	facessi

Oltre al verbo "essere" (che abbiamo visto prima), fanno eccezione a questa regola soltanto pochi verbi:

dare	davo	dessi
stare	stavo	stessi

Per quanto riguarda le varie forme di irregolarità dei verbi al congiuntivo, si veda la tabella dei verbi compresi nell'intero corso.

Lessico nuovo: irregolarità - tabella.

B.

Loro credevano che

io	avessi	cambiato idea
tu	avessi	
lui	avesse	conosciuto da vicino
noi	avessimo	qualche italiano
voi	aveste	
loro	avessero	finito di parlare

fossi	riuscito/a/i/e a trovare
fossi	una buona sistemazione
fosse	
fossimo	rimasto/a/i/e in albergo
foste	
fossero	andato/a/i/e in vacanza

V

1. **Completate le frasi con la forma conveniente del congiuntivo imperfetto o trapassato:**

> Credevo che ieri Marco *tornasse* in ufficio.
> Credevo che l'altro ieri Marco *fosse tornato* in ufficio.   (tornare)

1. Speravo che ieri ...arrivasse... la lettera che aspettavo   (arrivare)
   da tanti giorni.
2. Immaginavamo che a quell'ora Luisa ...dormisse... ancora.   (dormire)
3. Maria voleva che da piccoli i figli ...tenesse... in ordine   (tenere)
   le loro camere.
4. Avevamo l'impressione che loro non ...avessero... *capito* un'acca   (capire)
   di ciò che tu avevi detto.
5. Carla temeva che il suo ragazzo non ...riuscisse... a   (riuscire)
   laurearsi a pieni voti.
6. Ci sembrava strano che a quell'ora Giorgio non ...*avesse*...   (telefonare)
   ancora. *telefonato*
7. Abbiamo avuto l'impressione che Sergio non ...volesse...   (volere)
   dire tutto ciò che sapeva.
8. Quando vidi che Carlo non era ancora arrivato, pensai
   che ...avesse avuto... un incidente.   (avere)
9. Avevamo immaginato che in autunno i prezzi ...salissero... (salire)
10. Vorrei che tutti ...stessero... a sentire ciò che dico.   (stare)

Lessico nuovo: –

2. Come sopra:

1. Ci sembrava che in quella occasione Franca _si fosse comportata_ (comportarsi) in modo perfetto.

2. Non eravamo convinti che loro _si preparassero_ per (prepararsi) quell'esame.

3. Per poter finire in giornata, occorreva che tutti _si mettessero_ al lavoro. (mettersi)

4. Giorgio preferiva che voi _vi riposaste_ un po' prima (riposarsi) di continuare il lavoro.

5. Pensai che loro .... quando ti avevano dato (sbagliarsi) quell'informazione.

6. Era probabile che in seguito _si presentasse_ un'occasione (presentarsi) migliore.

7. Ero felice che Laura e Marco _si sposassi_ presto. (sposarsi)

8. Prima di andare in pensione, il signor Rossi ha aspettato che suo figlio _si sistemasse_ (sistemarsi)

9. Ci dispiacque che quel giorno Anna _si fosse preoccupati_ per noi. (preoccuparsi)

10. Non era vero che il signor Tofi _si fosse dedicato_ più (dedicarsi) al lavoro che alla famiglia.

VI-1   *Uso del congiuntivo imperfetto e trapassato e la concordanza dei tempi.*

Per realizzare in modo corretto la concordanza dei tempi nell'ambito del congiuntivo è sufficiente riferirsi all'uso dei tempi dell'indicativo (v. Unità 17, VI.2).
Come avete visto nell'Unità 18, se il verbo principale che richiede il congiuntivo è al presente, il verbo dipendente può stare al presente o al passato.
Esaminiamo ora il caso del verbo principale al passato:

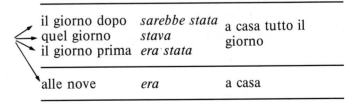

Ero certo che Carla	il giorno dopo	*sarebbe stata*	a casa tutto il
	quel giorno	*stava*	giorno
	il giorno prima	*era stata*	
	alle nove	*era*	a casa

Lessico nuovo: –

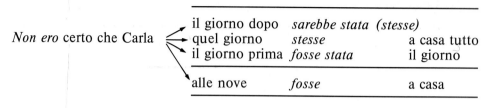

Non ero certo che Carla	il giorno dopo	*sarebbe stata (stesse)*	a casa tutto
	quel giorno	*stesse*	il giorno
	il giorno prima	*fosse stata*	
	alle nove	*fosse*	a casa

Attenzione!

Oltre che con il verbo principale al passato (o trapassato), il congiuntivo imperfetto e trapassato si accorda anche con il verbo principale al condizionale (semplice e composto), se questo esprime *volontà o desiderio:*

Desideravo Volevo Preferivo Desidererei Vorrei Preferirei	che Carla	venisse con noi

Avrei desiderato Avrei voluto Avrei preferito	che Carla	venisse	con noi
		fosse venuta	

Con il condizionale semplice dei verbi che *non esprimono* volontà o desiderio l'accordo è con il congiuntivo presente o passato:

Direi Penserei	che Carla	*faccia* bene	a venire con noi
		abbia fatto bene	

Osservate!

Direi che Carla *sia* d'accordo a venire con noi.
Vorrei che Carla *fosse* d'accordo a venire con noi.

2. Come potete vedere nello schema che segue, l'uso del congiuntivo imperfetto e trapassato è del tutto simile a quello del congiuntivo presente e passato:

Lessico nuovo: –

A. L'uso del modo è determinato dal verbo della frase principale:

INDICATIVO, se il verbo principale esprime:	CONGIUNTIVO, se il verbo principale esprime:
1. CERTEZZA OGGETTIVITÀ Sono certo È sicuro che lui *ha* È chiaro ragione.	1. INCERTEZZA OPINIONE SOGGETTIVA Non sono certo Non sono sicuro Non sono convinto Dubito che lui *abbia* Credo ragione. Penso Mi pare Direi Immagino Suppongo
Ero certo Era sicuro che lui *aveva* Era chiaro ragione.	Non ero certo Non ero sicuro Non ero convinto Dubitavo che lui *avesse* Credevo ragione. Pensavo Mi pareva Avrei detto Immaginavo Supponevo
2. CERTEZZA OGGETTIVITÀ È sicuro che Giulio *è* Mi hanno detto d'accordo con me.	2. PROBABILITÀ/IMPROBABILITÀ POSSIBILITÀ/IMPOSSIBILITÀ È probabile improbabile che Giulio *sia* possibile d'accordo con me. impossibile
Era sicuro che Giulio *era* Mi avevano detto d'accordo con me.	Era probabile improbabile che Giulio *fosse* possibile d'accordo con me. impossibile

Lessico nuovo: –

3. CERTEZZA
    OGGETTIVITÀ
 	
So
          che Carla *ha preso*
Ho saputo una decisione giusta.
poco fa
	3. PREOCCUPAZIONE
	    PAURA
	
	Temo
	          che Carla *abbia preso*
	          una decisione sbagliata.
	Ho paura

Sapevo
Ho saputo
          che Carla *aveva preso*
Seppi   una decisione giusta.
Avevo saputo
	Temevo
	          che Carla *avesse preso*
	          una decisione sbagliata.
	Avevo paura

4. CERTEZZA
    OGGETTIVITÀ
 	
Ho sentito che Carlo *si è laureato*
          a pieni voti.
Mi hanno detto
	4. STATO D'ANIMO SOGGETTIVO
	
	Sono felice che Carlo *si sia*
	          laureato a pieni voti.
	Sono contento

Avevo sentito
          che Carlo *si era laureato*
          a pieni voti.
Mi avevano detto
	Ero felice
	          che Carlo *si fosse*
	          laureato a pieni voti.
	Ero contento

5. CERTEZZA
    OGGETTIVITÀ
 	
Vedo   che Marta *è* di
          buon umore.
È evidente
	5. SPERANZA
	    ATTESA
	
	Spero che Marta *sia* di
	          buon umore.
	Aspetto

Vedevo
          che Marta *era* di buon
          umore.
Era evidente
	Speravo
	          che Marta *fosse* di
	          buon umore.
	Aspettavo

Lessico nuovo: –

6. CERTEZZA
   OGGETTIVITÀ

Vedo   che Franco *si occupa*
           di quella faccenda.
Sono sicuro

6. VOLONTÀ
   DESIDERIO

Voglio
Non voglio   che Franco *si occupi*
Pretendo   di quella faccenda.
Preferisco
Desidero

Vedevo   che Franco *si occupava*
Ero sicuro   di quella faccenda.

Volevo
Non volevo   che Franco *si*
Pretendevo   *occupasse* di quella
Preferivo   faccenda.
Desideravo

7. CERTEZZA
   OGGETTIVITÀ

Sono certo
        che lui *chiede*
        il permesso.
È sicuro

7. NECESSITÀ
   OPPORTUNITÀ

Bisogna
È necessario   che lui *chieda*
Occorre   il permesso.
È opportuno

Ero certo
        che lui *chiedeva*
        il permesso.
Era sicuro

Bisognava
Era necessario   che lui *chiedesse*
Occorreva   il permesso.
Era opportuno

8. CERTEZZA
   OGGETTIVITÀ

Ho saputo
        che la festa *è riuscita*.
Mi hanno detto

8. MANCANZA DI CERTEZZA

Si dice
Pare   che la festa *sia riuscita*.
Sembra
Dicono

Avevo saputo
        che la festa
        era riuscita.
Mi avevano detto

Si diceva
Pareva   che la festa
Sembrava   *fosse riuscita*.
Dicevano

9. DOMANDA DIRETTA

Mi chiedo: "Come *può* parlare
        male di lui?"

9. DOMANDA INDIRETTA

Mi chiedo come lei *possa*
parlare male di lui.

Mi chiedevo: "Come *può* parlare
        male di lui?"

Mi chiedevo come lei *potesse*
parlare male di lui.

Lessico nuovo: –

10. Completate le frasi con le forme convenienti del congiuntivo imperfetto o trapassato:

1. Dubitavo che Marta *avesse capito* bene ciò che le avevi detto.   (capire)

2. Era difficile che Carlo *accettasse* di cambiare programma.   (accettare)

3. Speravamo che anche il giorno dopo *avrebbe fatto* bel tempo.   (fare)

4. Mi sembrava che Luisa *avesse preso* la laurea prima del 1968.   (prendere)

5. Giulio era contento che suo padre *avesse deciso* di prendersi una vacanza.   (decidere)

6. Preferirei che voi mi *aspettaste* sotto casa.   (aspettare)

7. Bisognava che io *avvertissi* in tempo mia moglie che non tornavo a pranzo.   (avvertire)

8. Si diceva che i due capi di stato *si fosse incontrato* il mese prima in una località segreta.   (incontrarsi)

9. Fin quando non ha compiuto vent'anni, i suoi genitori hanno preteso che Laura non *uscisse* da sola di sera.   (uscire)

10. Tutti si chiedevano come quell'uomo *avesse guadagnato* tanti soldi in così poco tempo.   (guadagnare)

B. L'uso del modo è determinato dal significato della frase dipendente:

Frase dipendente INDICATIVO	Frase principale	Frase dipendente CONGIUNTIVO
1. perché sa fare da solo.	*Non aiuto* Mario	perché (affinché) *impari* a fare da solo.
perché sapeva fare da solo.	*Non ho aiutato* Mario	perché (affinché) *imparasse* a fare da solo.

Frase dipendente INDICATIVO	Frase principale	Frase dipendente CONGIUNTIVO
2.		
per farle compagnia.	*Uscirò* con Marta	sebbene *preferisca* restare a casa.
per farle compagnia.	*Sono uscito* con Marta	sebbene *preferissi* restare a casa.
3.		
perché di solito non correte troppo.	*Vengo* in macchina con voi	a patto che (purché) *non corriate* troppo.
perché di solito non correte troppo.	*Sono venuto* in macchina con voi	a patto che (purché) *non correste* troppo.
4.		
perché loro non devono accorgersene.	*Faremo* tutto in segreto	senza che loro *se ne accorgano.*
perché loro non dovevano accorgersene.	*Facemmo* tutto in segreto	senza che loro *se ne accorgessero.*
5.		
che consuma meno.	*Devo* comprare una macchina	che *consumi* meno.
che consumava meno.	*Ho dovuto* comprare una macchina	che *consumasse* meno.

Lessico nuovo: –

6. Completate le frasi secondo il senso:

1. Perché lui ...*capisse*... qual era il vostro problema, dovevate raccontargli tutto.   (capire)

2. Laura continuava a mangiare molto, sebbene .... già troppo grassa.   (essere)

3. Benché ...*avesse*... tutto ciò che voleva, Gianna non era mai contenta.   (avere)

4. Cercammo una ragazza che ...*sapesse*... scrivere a macchina.   (sapere)

5. Dovetti comprare un appartamento, perché non *riuscivo* (riuscire) a trovarne uno in affitto.

6. Sarei andato in macchina con Luigi, purché lui *accettasse* (accettare) di dividere le spese.

7. Fino all'anno scorso i Rossi hanno viaggiato molto, anche se la loro situazione economica non *era* buona.   (essere)

8. Con quel caldo mi andava bene qualsiasi cosa da bere, bastava che ...*togliesse*... la sete.   (togliere)

9. Avresti dovuto scegliere un lavoro che ti *lasciasse* (lasciare) abbastanza tempo per la famiglia.

10. Abbiamo preso un taxi, senza che Carlo ...*dovesse*... venire ad aspettarci alla stazione.   (dovere)

C. L'uso del modo è determinato da parole o espressioni che precedono il verbo della frase dipendente:

Frase dipendente INDICATIVO	Frase principale	Frase dipendente CONGIUNTIVO
1. dopo che sarete usciti.	*Parlerò* con Lucio	prima che voi *usciate*.
dopo che eravate usciti.	*Ho parlato* con Lucio	prima che voi *usciste*.

Lessico nuovo: –

Frase dipendente INDICATIVO	*Frase principale*	*Frase dipendente* CONGIUNTIVO

2.

Continua a portare quel vestito

anche se non è più di moda.

                 benché   non *sia*
                 sebbene   più di
                 nonostante che   moda.

Continuava a portare quel vestito

anche se non era più di moda.

                 benché   non *fosse*
                 sebbene   più di
                 nonostante che   moda.

3.

È pronto ad aiutare

le persone che hanno bisogno.

                 qualunque
                 qualsiasi }persona *abbia*
                 chiunque   bisogno

Era pronto ad aiutare

le persone che avevano bisogno.

                 qualunque
                 qualsiasi }persona *avesse*
                 chiunque   bisogno

Verrò con voi

anche se non so dove andate.

                 dovunque *andiate*.

Sarei venuto con voi

anche se non sapevo dove andavate.

                 dovunque *andaste*.

È sempre allegro

anche quando ha dei problemi.

                 comunque *vadano* le cose.

Era sempre allegro

anche quando aveva dei problemi.

                 comunque *andassero* le
                            cose.

Lessico nuovo: –

Frase dipendente INDICATIVO	Frase principale	Frase dipendente CONGIUNTIVO
	Gli *presto* i soldi	
poiché me li rende entro una settimana.		a patto che me li a condizione che *renda* purché entro una basta che settimana.
	Gli *prestavo* i soldi	
poiché me li rendeva entro una settimana.		a patto che me li a condizione che *rendesse* purché entro una bastava che settimana.

5. Completate le frasi con la forma conveniente del verbo:

1. Benché .... quasi l'una, ho provato lo stesso a cercare Giulio in ufficio.   (essere)

2. Scrissi a Carla, prima che .... la notizia da altri.   (sapere)

3. Avreste fatto in tempo all'ultimo spettacolo, purché
....   (sbrigarsi)

4. Qualunque cosa io gli ...., Sergio mi rispondeva male.   (dire)

5. Ho preferito raccontarvi tutto, dopo che .... quel brutto momento.   (passare)

6. Sebbene .... tanto, Luigi ha dovuto rinunciare a quel viaggio.   (tenerci)

7. Quando era bambina, Luisa si trovava bene dovunque
....   (andare)

8. Abbiamo preferito arrivare a casa prima che .... buio.   (farsi)

9. Ti avevo prestato il mio ombrello, a patto che non lo
....   (perdere)

10. Chiunque .... a fare questo lavoro, lo troverebbe interessante.   (provare)

Lessico nuovo: –

D. L'uso del modo nella frase dipendente è determinato dalla struttura dell'enunciato:

1. | È
Era fin troppo chiaro |

1. | Che lei non racconti / non raccontasse la verità, |

⇩

2. | che lei non racconta / non raccontava la verità. |

2. | è / era fin troppo chiaro. |

1. | Siamo / Eravamo sicuri |

1. | Che manchino ancora pochi / mancassero chilometri, |

⇩

2. | che mancano ancora pochi / mancavano chilometri. |

2. | siamo / eravamo sicuri. |

Nota: Con verbi come "sapere" e "dire" si ripete il pronome quando la frase principale segue quella dipendente:

- Molti sapevano che il loro rapporto *era* in crisi.
- Che il loro rapporto *fosse* in crisi, *lo* sapevano molti.
- Anche Mario disse che tu *avevi* ragione.
- Che tu *avessi* ragione, *lo* disse anche Mario.

Lessico nuovo: –

1. Trasformate le frasi secondo i modelli visti sopra:

1. Era noto a tutti che quello non era un luogo tranquillo.

   ....

2. Solo Carlo diceva che Anna parlava bene l'inglese.

   ....

3. Era evidente che quell'uomo aveva alzato il gomito.

   ....

4. Era chiaro che Marta pensava solo alla carriera.

   ....

5. Non tutti sapevano che il governo doveva ottenere la fiducia delle
   due Camere.

   ....

VI-2

A. Il congiuntivo non si usa quando il soggetto del verbo principale e del verbo dipendente è lo stesso:

SOGGETTI DIVERSI	*SOGGETTI UGUALI*
Dubitavo che Marco *finisse* prima di sera.	Dubitavo *di finire* prima di sera.
Pensavo che loro *tornassero* per l'ora di cena.	Pensavo *di tornare* per l'ora di cena.
Anna era convinta che Giulio *avesse* ragione.	Anna era convinta *di avere* ragione.

1. Completate le frasi secondo il senso:

1. In passato Franco faceva una vita più sana.
   Ad Anna, invece, anche allora pareva .... troppo.   (fumare)

2. Laura arriva oggi.
   Io, invece, credevo .... domani.   (arrivare)

3. Vi è piaciuto quel posto?
   Molto, e siamo stati contenti .... per alcuni giorni. (restarci)

Lessico nuovo: –

4. Perché non sei andata in macchina, Rita?
   Perché avevo paura .... troppo traffico.   (trovare)

5. Perché Lei non ha voluto che loro partissero in macchina?
   Perché temevo .... troppo traffico.   (trovare)

6. I prezzi sono saliti di nuovo.
   L'ho visto; ma non immaginavo .... così tanto.   (salire)

7. Secondo voi, Marco ha fatto bene a cambiare lavoro?
   All'inizio credevamo ...., ma poi ci siamo   (sbagliare)
   convinti che aveva ragione.

8. Avete fatto in tempo al treno delle sei?
   Sì, ma fino all'ultimo abbiamo temuto ....   (perderlo)

9. Luisa non ha accettato l'invito a pranzo per domani.
   Peccato! Saremmo stati contenti .... dopo tanto   (rivederla)
   tempo.

10. Gianni ha lasciato la ragazza che aveva conosciuto al mare.
    Ci dispiace, perché speravamo che questa volta .... (fare)
    sul serio.

VII **Completate le frasi con la forma conveniente del congiuntivo imperfetto e trapassato:**

1. Eravamo contenti che finalmente Carlo ....   (trovare)
   un lavoro.

2. Benché .... attenzione a non dimenticare nulla,   (fare)
   Luigi lasciò l'ombrello in treno.

3. Dovetti tornare in ufficio, sebbene non ne ....   (avere)
   nessuna voglia.

4. Avevamo cercato una ragazza che .... ai bambini   (badare)
   due ore al giorno.

5. Avrei corretto quello che avevi scritto, purché tu lo
   .... a macchina.   (battere)

Lessico nuovo: –

6. Prima che i prezzi ...., dovemmo deciderci a   (aumentare)
cambiare casa.

7. Dovunque tu lo ...., quel quadro starebbe   (mettere)
sempre bene.

8. Chiunque .... quel libro affermava che era il   (leggere)
migliore di quei tempi.

9. Qualunque regalo .... di fare a Luisa, avreste   (decidere)
dovuto chiedermi se volevo partecipare alla spesa.

10. Giulio venne ad aiutarci, senza che nessuno di noi
glielo ....   (chiedere)

VIII

A. Uso del congiuntivo (imperfetto e trapassato) nelle frasi indipendenti.

Nell'Unità 18 abbiamo esaminato gli usi del congiuntivo presente e passato
nelle frasi indipendenti. Vediamo ora che le forme del congiuntivo
imperfetto e trapassato si usano:

1) Per esprimere un desiderio che potrebbe realizzarsi o che non si può /
non si è potuto realizzare:

- La partita sta per cominciare.
- Almeno *vincesse* il Milan!
- Me lo auguro anch'io!

- Magari *avessi* la tua età!
- Purtroppo gli anni non si possono togliere.

- Paolo ha avuto un incidente d'auto.
- Mi *avesse ascoltato* e *fosse partito* in treno!
- Si vede che era destino che gli succedesse.

2) Per esprimere un dubbio o un'ipotesi:

- Ho notato anch'io che Laura era un po' fredda con te.
- Che *fosse* offesa perché non le ho più telefonato?
- È probabile.

- Giorgio ieri sera ha fatto dei discorsi strani.
- Anche a me è sembrato che il suo comportamento non fosse normale.
- Che *avesse bevuto* un po' troppo?
- Non saprei che dire.

Lessico nuovo: augurarsi - destino - notare - offeso - comportamento.

B. Raccontate il contenuto del dialogo introduttivo, completando il seguente testo:

Ad Ann l'Italia è sembrata un po' diversa .... come la ....
prima del suo .... di studio. .... per cominciare, si
aspettava che .... sempre il sole, e che il cielo .... sempre
.... e azzurro, invece ha scoperto che .... c'è una nebbia
del tutto .... quella di Londra e che spesso piove per ....
Stando con una famiglia italiana, ha potuto avere una conoscenza ....
della gente, così ha ricevuto un'impressione completamente ....
quella che aveva prima.
Ha capito che non era vero che tutti gli italiani .... bassi e ....
occhi e capelli neri, ... la chitarra e .... con belle voci, e
che .... spaghetti a pranzo e a cena.
Prima credeva anche che i ragazzi italiani .... idee e ....
diversi .... quelli dei ragazzi inglesi, ma quando ha conosciuto ....
.... i figli della .... di casa e .... amici ha
cambiato idea.
Quando Frank le ricorda che una persona intelligente .... i luoghi
comuni, Ann risponde che però, ... di leggere e sentire le stesse
cose .... un paese, uno .... che .... vere.

C. Conversazioni.

1.

– Sento odore di fumo: chi ha acceso una sigaretta?
– Io. Scusi, non sapevo che qui fosse vietato fumare.
– Non ha visto il cartello?
– No, ho visto dei portacenere e ho pensato che si potesse fumare.
– In passato, ma ora non più.

2.

– Fossi partita in macchina invece che in treno!
– Perché, hai fatto un viaggio disastroso?
– Non ti dico! Mi è capitato un guaio dopo l'altro. A Firenze ho perduto la
  coincidenza con il rapido per Venezia. Come se non bastasse, non ho
  trovato gettoni per avvertire Giulio che sarei arrivata con tre ore di
  ritardo.
– Quindi immaginavi che lui stesse in pensiero?
– Avessi visto la sua faccia al mio arrivo! Sembrava che non avesse dormito
  per notti e notti.
– Non credevo che Giulio fosse tanto ansioso.

Lessico nuovo: odore - vietato - cartello - portacenere - disastroso - guaio - coincidenza -
gettone - ansioso.

3.
- Vuoi ridere?
- Dimmi!
- A Marco hanno rubato il portafogli con i soldi e i documenti.
- C'è poco da ridere. Capitasse a me, piangerei dal dispiacere.
- La cosa buffa è che lui spera di ritrovarlo con tutto il contenuto.
- È davvero ottimista!

IX   *Rispondete alle seguenti domande:*

1. Oltre quelli che cita Ann, quali sono i luoghi comuni sugli italiani più diffusi nel Suo paese?
2. C'è, secondo Lei, qualcosa di vero in questi luoghi comuni?
3. Quali sono i luoghi comuni sul Suo paese?
4. Se Lei ha avuto una conoscenza diretta della gente italiana, dica in che cosa è diversa dalla gente del Suo paese.
5. Se non ha avuto questa esperienza, dica qual è il popolo che somiglia di più alla gente del Suo paese e ne spieghi le ragioni.

X   *Test*

A. Completate le frasi secondo il senso:

1. Bisognava che voi *prenostaste* per tempo se volevate   (prenotare)
   trovare posto in albergo.
2. Marco pretendeva *di saperne* più di noi di quella storia. (saperne)
3. Mi è dispiaciuto davvero che ieri sera Lei non *fosse*   (venire)
   venuto con noi, signor Carli.
4. Non era possibile che Sergio .... del tuo   (dimenticarsi)
   compleanno.
5. Supposi che loro *avessero saputo* del tuo arrivo da Lucia.   (sapere)
6. Speravamo *di trovare* un lavoro adatto a noi.   (trovare)
7. Avrei detto che questo vino *fosse* migliore di   (essere)
   quello di Orvieto, invece non è così.
8. Perché non avete aspettato che *smettese* di piovere,   (smettere)
   invece di uscire subito?
9. Mi chiesi come Anna .... a superare l'esame di   (riuscire)
   latino.
10. Che loro non .... intenzione di spendere una   (avere)
    somma così alta, lo capii subito.

Lessico nuovo: rubare - portafogli - documento - piangere - dispiacere (s.) - buffo - ritrovare - ottimista - diffuso.

B. Completate le frasi con il verbo al modo conveniente:

1. Sapevo che quel negozio ___*era*___ molto buono.

2. Secondo me quel negozio ___*è*___ molto buono.

3. Credevo che quel negozio ___*fosse*___ molto buono.

4. Dicevano che quel negozio ___*fosse*___ molto buono.

5. Non ero convinto che quel negozio ___*fosse*___ molto buono.

6. Sebbene ___*fosse*___ molto buono, quel negozio non aveva molti clienti.

7. Anche se ___*era*___ molto buono, quel negozio non aveva molti clienti.

8. Chiunque ___*avesse fatto*___ la spesa in quel negozio, diceva che era molto buono.

9. Che quel negozio ___*fosse*___ buono, lo dicevano tutti.

10. Quel negozio ___*era*___ buono davvero, se lo dicevano tutti.

C. Completate le frasi con i verbi fra parentesi:

1. Piove e non abbiamo l'ombrello.
   Almeno ___*venisse*___ a prenderci Mario con la macchina! (venire)

2. Ti piacerebbe abitare in campagna?
   Magari ___*trovassi*___ una casa in mezzo al verde! (trovare)

3. Luisa non mi parlò del suo progetto di cercare un altro lavoro, ___*avrà cambiato*___ idea?
   Che abbia cambiato (cambiare)

4. Quel ragazzo non si è comportato bene con Laura.
   Non lo ___*avesse*___ mai ___*incontrato*___! (incontrare)

5. Il dottor Bianchi pensa solo al lavoro.
   ___*Avesse*___ bisogno di soldi, potrei capirlo, ma non è il suo caso. (avere)

6. Ieri sera Carlo ci è sembrato distratto.
   ___*Fosse*___ stanco? O forse non era interessato ai vostri discorsi. (essere)

Lessico nuovo: –

7. Franco ha ripetuto esattamente ciò che mi aveva detto
   Giulio. *Si fossero men* d'accordo?   (mettersi)

8. Giorgio ha venduto la sua macchina ad un prezzo
   piuttosto basso.
   Magari me lo *avesse detto*! L'avrei comprata subito.   (dire)

9. Abbiamo dimenticato di prendere il giornale.
   Almeno *ci avesse* Marta!   (pensarci)
            pensato

10. I ragazzi di oggi sono fortunati.
    avessimo noi ai nostri tempi tutto quello che   (avere)
    hanno loro!

D. Fate il XII test.

Lessico nuovo: –

A questo punto Lei conosce
1845 parole italiane

Sergio : Dubito che Vincenzo venga con te a Bologna.

Franco: Ti ha detto lui che non verrà?

Sergio : No, ma immagino che troverà qualche scusa per rimandare il viaggio.

Franco: Pensi davvero che abbia cambiato idea? Quando ci siamo visti, ha detto che sarebbe venuto.

Sergio : Quando te l'ha detto forse non aveva pensato che la data della partenza era proprio venerdì 17.

Franco: Vuoi dire che è superstizioso?

Sergio : Proprio così. Sarà difficile che lo ammetta, ma io so che è vero.

Franco: Non avrei mai pensato che un ragazzo intelligente come lui potesse essere superstizioso.

Sergio : Eppure i tipi così non sono rari. Ne conosco diversi anch'io. Per esempio, una mia zia tiene in casa un ferro di cavallo, porta addosso sempre qualcosa di rosso, e se per caso un gatto nero le attraversa la strada, è pronta a tornare indietro o a fare un'altra via.

Franco: Ma tua zia appartiene ad un'altra generazione e in fondo non mi stupisce che sia così.

Sergio : Tempo fa Vincenzo mi disse che era diventato superstizioso dopo che aveva avuto un incidente proprio di venerdì 17.

Franco: Non sapevo che avesse avuto un incidente.

Sergio : Gli è successo diversi anni fa, quando aveva diciassette anni.

Franco: Ma allora comincio anch'io a credere che il numero 17 porti sfortuna.

Sergio : Non mi dirai che anche tu non vuoi partire di venerdì 17, per paura che ti succeda qualcosa?

Franco: No, non credo alla superstizione, comunque ... tocchiamo ferro!

ventunesima unità
(unità numero ventuno)

la concordanza dei modi e dei tempi

Lessico nuovo: ventunesimo - data - superstizioso - ferro - cavallo - addosso - attraversare - appartenere - generazione - stupire - sfortuna - superstizione.

II   *Ora ripetiamo insieme:*

- Dubito che Vincenzo venga con te a Bologna.

- Immagino che troverà qualche scusa per rimandare il viaggio.

- Quando ci siamo visti, ha detto che sarebbe venuto.

- Forse non aveva pensato che era proprio venerdì 17.

- Non avrei mai pensato che lui potesse essere superstizioso.

- Mi disse che era diventato superstizioso dopo un incidente.

- Non sapevo che avesse avuto un incidente.

- Gli è successo quando aveva diciassette anni.

III   *Rispondete alle seguenti domande:*

1. Perché Sergio dubita che Vincenzo vada con Franco a Bologna?
2. Cosa non ammetterà Vincenzo, secondo Sergio?
3. Perché Franco è sorpreso nel sentire cosa gli dice Sergio?
4. Quando è diventato superstizioso Vincenzo?
5. Quando gli è successo l'incidente che l'ha fatto diventare superstizioso?
6. Cosa comincia a credere Sergio dopo aver sentito il caso di Vincenzo?

IV

Rispettare la concordanza dei modi significa porre il verbo della frase dipendente al modo e al tempo richiesti dal verbo della frase principale.
Per quanto riguarda la concordanza dei tempi, e, in parte la concordanza dei modi, rimandiamo alle Unità 18 e 20.
Vediamo ora tutti i casi di concordanza dei modi e dei tempi, ricordando che prima di formulare la frase dipendente è necessario chiarire:

a) il modo (indicativo, congiuntivo, condizionale, infinito) che il verbo principale richiede;

b) il tempo (di cui ciascun modo dispone), secondo che l'azione espressa dal verbo dipendente sia contemporanea, anteriore o posteriore rispetto a quella del verbo principale.

Lessico nuovo: rispettare - formulare - chiarire - disporre - contemporaneo.

---

1. Il verbo principale richiede l'*indicativo* o il *condizionale* nella frase dipendente.

A. Verbo principale al presente:

	partirà parte partirebbe		dopo
Carlo *dice* che Anna	parte sta partendo	per le vacanze ⟶	ora
	è partita partiva partì sarebbe partita		prima

B. Verbo principale al passato:

	sarebbe partita partiva		dopo
Carlo *ha detto* *diceva* *disse* *aveva detto* che Anna	partiva stava partendo	per le vacanze ⟶	allora
	era partita partì		prima

Lessico nuovo: –

---

2. | Il verbo principale richiede
il *congiuntivo* o il *condizionale*
nella frase dipendente.

A. Verbo principale al presente:

Carlo *pensa* che Anna	(partirà) parta partirebbe	per le vacanze	dopo
	parta stia partendo		ora
	sia partita partisse sarebbe partita		prima

B. Verbo principale al passato:

Carlo *ha pensato pensava pensò aveva pensato* che Anna	sarebbe partita partisse	per le vacanze	dopo
	partisse stesse partendo		allora
	fosse partita		prima

Lessico nuovo: –

V

1. Completate le frasi, facendo attenzione al modo richiesto dal verbo principale:

ora ↓ ora	Azioni contemporanee	allora ↓ allora

1. Siamo sicuri che il biglietto di andata e ritorno .... (essere) più conveniente.
2. Alcuni hanno creduto che tu .... quelle cose sul serio.   (dire)
3. Mi pare che Carlo .... nel bere e nel fumare.   (esagerare)
4. Sono felice che ora Lei .... di buona salute.   (godere)
5. Dicono che i vostri vicini .... una casa magnifica.   (avere)

2. Come sopra:

ora ⟶ dopo	Azione posteriore	allora ⟶ dopo

1. Spero che a Paolo .... il maglione che gli ho fatto. (piacere)
2. Aspettiamo che lui .... scusa, prima di perdonarlo. (chiederci)
3. Non immaginavo che gli ospiti .... fino a quell'ora. (fermarsi)
4. Te l'avevo detto che .... qualche difficoltà ad abituarti al nuovo modo di vita.   (avere)
5. Franco mi ripeté che .... da solo.   (cavarsela)

3. Come sopra:

prima ⟵ ora	Azione anteriore	prima ⟵ allora

1. Mi dispiace che non .... ancora a trovare lavoro, signorina.   (riuscire)
2. È sicuro che a quest'ora .... già tutti.   (arrivare)
3. In quel momento pensammo che lei .... dei nostri scherzi.   (offendersi)
4. Credevo che Giulio ti .... tutto.   (raccontare)
5. Lo sanno tutti che i Rossi .... ricchi da poco.   (diventare)

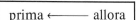

Lessico nuovo: –

4. **Completate le frasi, facendo attenzione a qual è**
   a) il modo richiesto dal verbo principale;
   b) il rapporto di tempo fra il verbo principale e quello dipendente
   (anteriorità, contemporaneità, posteriorità):

   1. Sono felice che Lei .... la scelta che ho fatto.   (approvare)
   2. Ho capito subito che quella ragazza .... bisogno   (avere)
      di aiuto.
   3. Eravamo sicuri che prima o poi Luigi .... un   (trovare)
      lavoro adatto a lui.
   4. Vedo con piacere che voi .... a fare una vita   (cominciare)
      più sana.
   5. Domenica scorsa Paola aveva detto che ieri ...., (venire)
      invece non si è fatta vedere.
   6. Mi pare che il tuo vestito .... un po' troppo corto. (essere)
   7. Seppi da Maria ciò che .... prima del mio ritorno. (succedere)
   8. Non sapevamo che Luisa .... Giorgio.   (lasciare)
   9. Immaginavamo che voi .... dormire fino a tardi,   (volere)
      perciò non vi abbiamo svegliato.
   10. Spero che domani il tempo .... al bello.   (mettersi)

5. **Come sopra:**

   1. Mi dispiace che Lei non .... bene in questa città. (trovarsi)
   2. C'è Paola al telefono; dice che stasera .... di   (venire)
      sicuro.
   3. Per un momento mi è sembrato che tu ....   (stare)
      piangendo.
   4. Accidenti! Non pensavo che questo lavoro ....   (essere)
      tanto faticoso.
   5. Vorrei che tutti .... la natura.   (amare)
   6. Laura aveva immaginato che noi .... senza   (andarsene)
      salutarla.
   7. Carlo ripeteva sempre che .... scapolo, invece   (rimanere)
      si è sposato anche lui.
   8. Direi che in quest'ambiente l'aria .... troppo   (essere)
      secca.
   9. Ieri Giulio era di pessimo umore perché la notte precedente
      non .... abbastanza.   (dormire)
   10. Paola si è sentita male durante il viaggio perché
      .... dietro.   (sedere)

Lessico nuovo: –

VI

A. Riassumendo, possiamo dire che nel formulare una frase dipendente bisogna scegliere:

in **primo luogo** *il modo* (indicativo, congiuntivo, condizionale, infinito) tenendo conto dei seguenti fattori:

a. *il verbo della frase principale:*
 – se esprime certezza si avranno l'indicativo, il condizionale o l'infinito nella frase dipendente;
 – se esprime incertezza, si avranno il congiuntivo, il condizionale o l'infinito nella frase dipendente.

b. *il significato della frase dipendente:* – se esprime oggettività si avrà l'indicativo;
 – se esprime soggettività si avrà il congiuntivo.

c. *parole o espressioni che precedono il verbo della frase dipendente:*
 – secondo i casi, si avranno l'indicativo o il congiuntivo.

d. *la struttura dell'enunciato:*
 – secondo i casi (la frase dipendente segue o precede la frase principale), si avranno l'indicativo o il congiuntivo.

B.

1. Le forme dell'infinito si usano quando la persona che compie l'azione del verbo principale e quella del verbo dipendente è la stessa.

2. Le forme semplici dell'infinito esprimono *contemporaneità* dell'azione del verbo dipendente rispetto a quella del verbo principale *al presente, al futuro e al passato.* Le forme composte esprimono, invece, *anteriorità* dell'azione del verbo dipendente rispetto a quella del verbo principale *al presente, al futuro e al passato.*

in **secondo luogo** *il tempo,* in base a:

a. *il tempo del verbo principale* (presente, futuro, passato)

b. *il rapporto di tempo fra le due azioni:*

azione del verbo principale — azione del verbo dipendente → posteriore / contemporanea / anteriore

Lessico nuovo: base.

VII   *Completate i seguenti dialoghi con la forma conveniente del verbo fra parentesi:*

1. Perché Anna non vuole fársi aiutare da nessuno?
   Perché pensa .... da sola.   (cavarsela)

2. Non capisco perché Gianni ti è antipatico.
   Perché crede .... il più intelligente di tutti.   (essere)

3. Mi spieghi per quale ragione non hai accettato
   quel lavoro?
   Perché dubitavo .... le qualità necessarie per   (avere)
   farlo bene.

4. Non avete ancora visitato il museo?
   No; contavamo .... ieri, ma poi abbiamo cambiato   (andarci)
   programma.

5. Perché sono rimasti delusi i Suoi amici?
   Perché speravano .... il loro scopo senza troppa   (raggiungere)
   fatica.

6. Lei si esprime già bene in italiano!
   Grazie del complimento, ma so .... ancora diversi   (fare)
   errori.

7. Perché non siete passati da me ieri sera?
   Perché non eravamo sicuri .... a casa.   (trovarti)

8. Vedo che Carlo se n'è andato senza sistemare il tavolo
   di lavoro.
   Eppure aveva promesso .... in ordine.   (lasciarlo)

9. Sai dove sono Sergio e Lucio?
   Li ho visti .... verso il centro.   (andare)

10. Sei sorpresa di trovarmi qui?
    Sì, perché non ti ho sentito ....   (arrivare)

Lessico nuovo: –

VIII

A. Raccontate il contenuto del dialogo introduttivo, completando il seguente testo:

Sergio dubita che Vincenzo .... con Franco a Bologna. Immagina
che .... qualche scusa per .... il viaggio. Pensa che quando
ha detto a Franco .... con lui, forse non .... che la data
della partenza .... proprio venerdì 17.
Franco dice che non .... che un ragazzo intelligente come lui ....
.... essere superstizioso. Sergio gli risponde che i tipi così non ....
.... rari e che .... diversi anche lui.
Una volta Vincenzo gli disse che .... superstizioso dopo che ....
un incidente .... di venerdì 17, quando .... diciassette
anni.
A questo punto Franco dice che comincia anche lui a credere che il numero
17 .... sfortuna.
Sergio gli chiede se allora pensa .... di venerdì 17, per paura che
gli .... qualcosa. Franco risponde che non .... alla
superstizione, ma che comunque è meglio .... ferro!

B. Conversazioni.

1.

– Non avevi detto che Marco sarebbe venuto con noi a mangiare la pizza?
– Infatti voleva venire, ma siccome odia i locali affollati, all'improvviso ha
  cambiato idea.
– Vuol dire che la prossima volta faremo scegliere a lui il posto dove
  andare.

2.

– Sai che Luigi ha firmato il contratto di acquisto di un appartamento?
– Davvero? Non capisco come mai me l'abbia nascosto. Eppure ci siamo
  visti pochi giorni fa.
– Forse perché non siete entrati in argomento.
– In effetti abbiamo parlato di tutt'altre cose.

Lessico nuovo: pizza - siccome - odiare - firmare - nascondere - argomento.

3.

– Avete notato che Sandro non è mai puntuale?

– Sappiamo bene che è pigro e gli dà fastidio alzarsi presto la mattina.

– Scusate se vi interrompo: finché non protesterete, Sandro continuerà a fare il proprio comodo.

4.

– C'era la coda allo sportello della cassa?

– Non c'era molta gente, ma il signore davanti a me aveva sbagliato a riempire il modulo di versamento, per cui ci ha fatto perdere tempo.

5.

– Pensi che Omar ce la faccia a superare l'esame?

– Credo di sì. Commette ancora molti errori, ma è furbo e troverà il modo di cavarsela.

IX *Rispondete alle seguenti domande:*

1. Secondo la Sua opinione, è giusto essere superstiziosi?
2. Nel Suo paese sono molte le persone superstiziose?
3. Come sono considerate le persone superstiziose da quelle che non lo sono?
4. Che cosa è oggetto di superstizione?
5. Secondo Lei, esiste un rapporto fra superstizione e grado di cultura o età delle persone?

X *Test*

A. Completate i dialoghi con i verbi al modo e al tempo convenienti:

1. Marco è andato via perché si annoiava?
   Credo che .... proprio questo il motivo.   (essere)

2. Si è stancata a guidare per tanti chilometri?
   Devo ammettere che il viaggio .... piuttosto   (essere)
   faticoso.

3. Non riusciamo a trovare un appartamento in affitto in tutta la città.
   È meglio che .... ad un'agenzia: è l'unico modo   (rivolgersi)
   sicuro per trovarne uno.

Lessico nuovo: puntuale - pigro - fastidio - interrompere - coda - sportello - cassa - riempire - versamento - commettere - furbo.

4. Secondo me, Luigi non ha capito bene ciò che hai detto.
    Noi siamo convinti che non .... un'acca.   (capire)

5. Sa che il prezzo della benzina è di nuovo aumentato?
    Dice sul serio? Eppure i giornali dicevano che non

    ....   (aumentare)

6. Giorgio ha cominciato a fumare un'altra volta.
    Io non sapevo neppure che ....   (smettere)

7. Quella sera i vostri genitori si preoccuparono non
    vedendovi arrivare?
    Sì, naturalmente pensarono che ci .... qualche   (accadere)
    incidente.

8. Mi sembri delusa, Carla. Cosa ti aspettavi da questo
    viaggio?
    Speravo .... gente interessante, ma non è stato   (incontrare)
    così.

9. È vero che Suo figlio è distratto e perde tutto?
    Sì, quasi ogni giorno perde qualcosa. Ieri, per esempio, ha
    perduto i guanti che .... appena.   (comprare)

10. Franco è di nuovo in ritardo.
    L'aveva detto che .... dopo le nove.   (arrivare)

B. Trovate eventuali errori nelle seguenti frasi:

1. Non Le ho presentato la signorina Pini, perché credevo che
    la conosca.

2. Credo che ormai Gianni non telefoni più.

3. Vedendolo in quello stato, tutti hanno pensato che ha alzato troppo il
    gomito.

4. Quando arrivò, ci disse che aveva evitato di telefonare per farci una
    sorpresa.

5. Nessuno si aspettava che il prezzo della benzina aumenterebbe di cento
    lire.

C. Completate i dialoghi secondo il senso:

1. Perché non hai chiesto a tuo marito di accompagnarti
    in macchina?
    Perché sapevo che .... molto da fare.

Lessico nuovo: –

2. Dubito che Franco si ricordi di prendere i biglietti anche per noi.
   Speriamo di sì. Mi ha assicurato che .... il giorno stesso che
   gliel'ho detto.

3. Avete speso molto per sistemare la casa di campagna?
   Purtroppo sì; era in pessime condizioni, perché .... chiusa per
   molto tempo.

4. Il signor Martini lavora ancora nel Suo ufficio?
   No, ha dovuto lasciare il lavoro nel 1982, perché .... i limiti
   di età.

5. Mario vive a Parigi da tre mesi, ma già pensa di tornare.
   Lo sapevo che .... la nostalgia del suo paese e delle persone
   care.

XI   **«Come si dice»**

finalmente ←——→ alla fine

Finalmente è arrivato il mio
turno! Era mezz'ora che facevo
la fila.

Finalmente a casa! Che piacevole
sensazione dopo una giornata piena
di impegni!

Ho fatto la fila per mezz'ora e
alla fine ho scoperto che non era
lo sportello giusto.

Alla fine di una giornata piena di
impegni, è piacevole tornare a casa.

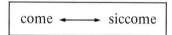

come ←——→ siccome

Scusi, *come* ha detto?

Vorrei sapere l'inglese *come* te:
così non avrei bisogno di un
interprete.

Siccome non ho capito ciò che ha
detto, La prego di ripetere.

Siccome non so l'inglese come te,
dovrai farmi da interprete.

Lessico nuovo: turno - fila - sensazione.

avanti ←——→ davanti

Se l'articolo ti interessa,
continuo a leggere.
Sì, va *avanti!*

È permesso?
Avanti, prego!

In macchina preferisco sedere *davanti*
perché soffro di mal d'auto.

Dove dorme il cane?
Davanti alla porta di casa.

giocare ←——→ suonare

Quei ragazzi *giocano* a calcio
tutto il pomeriggio.
Sapete *giocare* a carte?

Nostro figlio *suona* abbastanza
bene il pianoforte.
Suona il telefono: vai tu a rispondere?

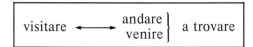

visitare ←——→ andare ⎫
                 venire ⎬ a trovare

Il medico che mi *ha visitato* è
molto bravo e cortese.
Ieri *abbiamo visitato* il duomo
e il museo.

Ho promesso a Carla di *andare*
a trovarla domenica prossima.
Ieri sera *sono venuti a trovarci*
Laura e Pino.

aspettare ←——→ aspettarsi

Aspettiamo Anna e Carlo.
È vero? Non credevo che sarebbero
venuti.

Aspetto che Franco finisca di
parlare e poi dirò qualcosa anch'io.

Non *mi aspettavo* che venissero
anche Anna e Carlo.

Da Franco non puoi *aspettarti*
un discorso breve: gli piace troppo
parlare.

Lessico nuovo: duomo.

A questo punto Lei conosce
1884 parole italiane

Franca: So che Carla e Marco hanno comprato una <u>casetta</u> in campagna. Tu l'hai vista?

Giulio: Sì, ci sono stato diverse volte. *Se* venerdì *farà* bel tempo, ci *andrò* di nuovo. È il luogo ideale per passare qualche ora nel silenzio più assoluto e la salute ci guadagna.

Franca: D'estate io preferisco fare una corsa al mare, perché mi piace molto nuotare e prendere il sole.

Giulio: Non t'interessa fare una volta un'esperienza diversa?

Franca: Perché no? *Se* Carla e Marco m'*invitassero, accetterei* volentieri di passare una giornata all'aperto.

Giulio: Del resto potresti nuotare e prendere il sole anche lì. Non lontano dalla casa c'è un <u>laghetto</u> artificiale, dove si può fare il bagno e anche pescare in pace.

Franca: Dove si trova questa casa da sogno?

Giulio: Su una collina a pochi chilometri da qui. Per arrivare lassù bisogna attraversare un bosco, percorrendo una <u>stradina</u> su cui passa appena una macchina.

Franca: Sarà anche bello, non discuto, ma non è pericoloso vivere in un posto così isolato? Io non avrei coraggio a starci da sola; vivrei sempre con la paura dei ladri.

Giulio: Raramente Carla e Marco sono soli: hanno sempre qualche ospite. E poi ci sono due cani da guardia.

Franca: Come passano il tempo? Lavorano forse la terra?

Giulio: Sì, e con ottimi risultati. Il loro passatempo preferito è coltivare un pezzo di terra vicino a casa, per avere sempre verdura fresca.

Franca: A parte i due cani, hanno altri animali?

Giulio: Sì, hanno un bellissimo cavallo.

Franca: I cavalli sono stati sempre la mia passione. Allora ho deciso: venerdì verrò con te da Carla e Marco apposta per fare una corsa a cavallo per i prati.

Giulio: *Se avessero saputo* che era questo il tuo divertimento maggiore, ti *avrebbero invitato* prima a casa loro.

Lessico nuovo: ventiduesimo - divertimento - silenzio - corsa - nuotare - lago - artificiale - pescare - pace - sogno - collina - lassù - bosco - percorrere - discutere - isolato - coraggio - ladro - raramente - guardia - terra - risultato - passatempo - coltivare - pezzo - verdura - animale - passione - apposta.
Termini tecnici: alterato.

ventiduesima unità
(unità numero ventidue)

il periodo ipotetico
forme alterate di sostantivi, aggettivi e avverbi

II   *Ora ripetiamo insieme:*

– Se venerdì farà bel tempo, ci andrò di nuovo.

– Se m'invitassero, accetterei volentieri di passare una giornata all'aperto.

– Non lontano dalla casa c'è un laghetto artificiale.

– Dove si trova questa casa da sogno?

– Sarà anche bello, non discuto, ma non è pericoloso vivere in un posto
così isolato?

– Io non avrei coraggio a starci da sola.

– I cavalli sono stati sempre la mia passione.

– Se l'avessero saputo, ti avrebbero invitato prima a casa loro.

III   *Rispondete alle seguenti domande:*

1. Giulio è mai stato nella casa di campagna di Carla e Marco?
2. Perché d'estate Franca preferisce fare una corsa al mare il fine-settimana?
3. A Franca piacerebbe andare una volta a trovare Carla e Marco in
campagna?
4. La loro casa di campagna è lontano dalla città in cui vivono?
5. Perché Franca non avrebbe coraggio a starci da sola?
6. Qual è il passatempo preferito di Carla e Marco?
7. Che animali hanno?
8. Che cosa decide di fare Franca venerdì?

Lessico nuovo: –

IV

A. In alcune unità precedenti avete visto delle forme di periodo ipotetico al futuro e al passato. Esaminiamo ora in maniera sistematica i vari tipi di questa struttura, cercando di mettere in chiaro qual è il suo significato e come a volte essa non si possa sostituire con altre forme.

1.
> **Luisa:** Domani sera farò una cena per tutti gli amici. Venite anche tu e tuo marito, vero?
> **Carla:** Ti ringrazio dell'invito. Mio marito è fuori, ma dovrebbe tornare proprio domani. *Se tornerà* in tempo, *verremo* senz'altro.

Se tornerà in tempo, *verremo* senz'altro.

periodo ipotetico

Se tornerà

ipotesi
considerata
realizzabile
con un sufficiente
grado di certezza.

verremo

conseguenza

2.
> **Luisa:** Domani sera farò una cena per tutti gli amici. Venite anche tu e tuo marito, vero?
> **Carla:** Ti ringrazio dell'invito. Mio marito è fuori e dovrebbe tornare proprio domani, ma non so di preciso a che ora. Comunque, *se tornasse* in tempo, *verremmo* senz'altro.

Se tornasse

ipotesi
considerata
realizzabile
con un minore
grado di certezza.

verremmo

conseguenza

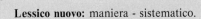

Lessico nuovo: maniera - sistematico.

3. Carla e suo marito non sono andati a cena da Luisa perché lui è tornato troppo tardi. Il giorno dopo Carla telefona a Luisa per scusarsi:

Carla: Spero che non ti sia offesa che ieri sera non siamo venuti.
Luisa: Vi abbiamo aspettato fino a tardi, ma poi abbiamo pensato che forse tuo marito non era tornato.
Carla: In effetti è tornato solo alle undici. *Se fosse tornato* un po' prima, *saremmo venuti* senz'altro.

Se fosse tornato   *saremmo venuti*

ipotesi al passato   conseguenza al passato

Osservate!

In italiano il condizionale non esprime *mai* la condizione, ma solo la conseguenza di questa.
Dopo la congiunzione *se,* si ha di solito l'indicativo o il congiuntivo, e *mai* il condizionale:

Se | tornerà / tornasse / fosse tornato | in tempo, | verremo / verremmo / saremmo venuti | senz'altro.

Il condizionale può seguire la congiunzione *se* soltanto nelle frasi interrogative indirette:

Non so / Mi chiedo | se | *accetterebbe* / *avrebbe accettato* | l'invito.

B. Vari tipi di periodo ipotetico.

al futuro

1. Noi andiamo in segreteria.
   Se mi *aspettate, vengo* con voi.   (presente-presente)
2. Mi offriresti una sigaretta?
   a. *Se continuerai* a fumare, non ti *passerà* la tosse.   (futuro-futuro)
   b. *Se continui* a fumare, non ti *passa* la tosse.   (presente-presente)

Lessico nuovo: segreteria.
Termini tecnici: congiunzione.

3. Venite a cena anche voi da Luisa?
a. Sì, *se* mio marito *torna* in tempo, *verremo*
   senz'altro.   (presente-futuro)
b. Sì, *se* mio marito *tornerà* in tempo, *veniamo*
   senz'altro.   (futuro-presente)

4. Ti piacerebbe approfondire lo studio dell'italiano?
   Sì, *se ricevessi* una borsa, *frequenterei* volentieri
   anche il corso medio.   (cong. imp.-cond.
                  sempl.)

> *al passato*

1. Siamo andati a fare quattro passi.
   Se mi *aveste aspettato, sarei venuto* anch'io
   con voi.   (cong. trap. - cond.
       comp.)

2. Siamo andati a fare quattro passi.
   Se mi *aspettavate, venivo* anch'io con voi.   (imperfetto-imperfetto)

> *ipotesi al passato* — *conseguenza valida al presente*

1. Marco non ha ancora trovato lavoro.
   Peggio per lui! *Se avesse scelto* la professione del padre, ora *non sarebbe*
   disoccupato.

Nota: L'ordine degli elementi nel periodo ipotetico non è fisso. L'enunciato
   può cominciare con l'ipotesi o con la conseguenza:

Se continuerai a fumare, non ti passerà la tosse.
    1   2

Non ti passerà la tosse, se continuerai a fumare.
    2   1

Se mi aveste aspettato, sarei venuto anch'io con voi.
    1   2

Sarei venuto anch'io con voi, se mi aveste aspettato.
    2   1

Lessico nuovo: approfondire - medio - valido - elemento.

C. Quando si racconta ciò che ha detto qualcuno, la forma di periodo ipotetico da usare è sempre la stessa:

discorso diretto   discorso indiretto

1. Franca ha detto: *"Se m'inviteranno, accetterò con piacere"*.

2. Franca ha detto: *"Se m'invitassero, accetterei con piacere"*.

3. Franca ha detto: *"Se mi avessero invitato, avrei accettato con piacere"*.

Franca ha detto che *se l'avessero invitata, avrebbe accettato* con piacere.

V

1. Completate le frasi secondo il modello:

nella Realtà

> Mi faresti un favore, Giulio?
> *Se posso*, te lo *faccio* con piacere.

(potere-farlo)

1. Ormai è troppo tardi per andare al cinema.
No, se voi *vi sbrigate*, *facciamo* in tempo per l'ultimo spettacolo.   (sbrigarsi-fare)

2. Non piove da mesi e la campagna soffre.
Se il tempo *non cambiarà* *sarà* *cambia* *è* un guaio.   (non cambiare-essere)

3. Hai ancora molto da fare?
Se tu *mi dai* *dara* una mano, *finisco* *finirà* prima.   (darmi-finire)

4. Carlo non crede che la tua macchina consuma poco.
Se *la provarà* *prova* , *cambiarà* *cambia* subito idea.   (provarla-cambiare)

5. Come mai Laura non parla?
Se *sta* zitta, *significa* che è d'accordo.   (stare-significare)

Lessico nuovo: –

2. **Come sopra:**

> I tuoi genitori ti aspettano a cena?
> Sì, e *se non tornerò, si preoccuperanno.*   (non tornare-preoccuparsi)

1. Per dare l'esame Lei deve presentare la
   domanda.
   Sì, e se non la presenterò entro il 15,   (non presentarla-
   non potrà darlo.   non potere)

2. È vero che viene con noi anche Luigi?
   Sì, e se lo aspetteremo, si arrabbiarà.   (non aspettarlo-arrabbiarsi)

3. È molto che cerchi Giulio?
   Sì, e se non lo vedrò, dovrò   (non vederlo-dovere)
   telefonargli a casa.

4. Ricordi che domani è il compleanno di
   Marta?
   Sì, e se non le farò gli auguri, le dispiacerà. (non farle-dispiacerle)

3. **Come sopra:**

> I tuoi genitori ti aspettano a cena?
> Sì, e *se non torno, si preoccupano.*   (non tornare-preoccuparsi)

1. Per dare l'esame Lei deve presentare la
   domanda.
   Sì, e se .... entro il 15,   (non presentarla-non potere)
   .... darlo.

2. È vero che viene con noi anche Luigi?
   Sì, e se ...., ...   (non aspettarlo-arrabbiarsi)

3. È molto che cerchi Giulio?
   Sì, e se ...., ...   (non vederlo-dovere)
   telefonargli a casa.

4. Ricordi che domani è il compleanno
   di Marta?
   Sì, e se .... gli auguri, ...   (non farle-dispiacerle)

Lessico nuovo: –

4. Come sopra:

> Se questo lavoro non ti piace, perché
> non lo lasci?
> Perché *se* lo *lascio, non* ne *troverò*   (lasciarlo-trovarne)
> facilmente un altro.

1. Se sei stanca, perché non vai a letto?
   Perché se .... il pomeriggio,   (dormire-passare)
   .... la notte in bianco.

2. Se questo vino Le piace, perché non ne
   prende un altro bicchiere?
   Perché se .... ancora, ...   (berne-non potere)
   lavorare.

3. Se vi serve la macchina, perché non la
   chiedete a Mario?
   Perché se ...., ...   (chiederla-non darcela)

4. Se non ti va di andare con Sergio, perché
   non glielo dici?
   Perché se ...., ... deluso. (dirglielo-restare)

5. Se Luisa ha problemi con i genitori, perché
   non va a vivere da sola?
   Perché se .... la casa, ...   (lasciare-dovere)
   lavorare per mantenersi.

5. Come sopra:

> Sergio fuma troppo.
> Lo credo anch'io. *Se continuerà*   (continuare-
> di questo passo, *finisce* male.   finire)

1. Lorenzo sbaglia a cambiare macchina.
   Lo credo anch'io. Se ...., ...   (aspettare-potere)
   prendere il nuovo modello.

2. Marta non è adatta per questo lavoro.
   Lo credo anch'io. Se .... di farlo,   (smettere-essere)
   .... meglio per lei.

Lessico nuovo: facilmente.

3. L'orario di lavoro è troppo pesante.
   Lo credo anch'io. Se .... un altro   (trovare-lasciare)
   impiego nella mia città .... subito
   questo posto.

4. Non vale la pena di fare una levataccia.
   Lo credo anch'io. Se tu .... il treno   (prendere-riuscire)
   delle nove, ... a fare tutto lo stesso.

5. Il prezzo della benzina è troppo alto.
   Lo credo anch'io. Se .... ancora,   (aumentare-diventare)
   .... un problema viaggiare in
   macchina.

6. **Come sopra:**   *Possibilità*

> Dobbiamo proprio venire con te?
> Sì, *se veniste, mi fareste* un grosso favore.   (venire-farmi)

1. È proprio sicuro che quel ragazzo è in gamba?
   Sì, se Lei *lo conoscesse* meglio, *non avrebbe*   (conoscerlo-non avere)
   dubbi.

2. Se non Le interessa ciò che dice Franco,
   se ne può andare.
   No, resto lo stesso. Se *me ne andassi*, lui   (andarsene-
   si offenderebbe   offendersi)

3. Vi piace questo posto?
   Sì, ma se *ci fossero* meno gente, ci
   piacerebbe ancora di più.   (esserci-piacere)

4. Peccato che Anna vesta in modo poco
   elegante!
   Sì, è un vero peccato. Se *si lasciasse*   (lasciarsi-
   consigliare dalle amiche, *ci guadagnerebbe* guadagnarci)

5. Pensi che Luigi mi presterebbe la macchina?
   Sì, se *gliela chiedessi, non ti direbbe* di no.   (chiedergliela-non dirti)

Lessico nuovo: –

7. Come sopra: *irrealtà*

> Il viaggio ci è sembrato lunghissimo.
> *Se aveste preso* il rapido, *sareste arrivati*
> molto prima.

(prendere-arrivare)

1. Laura è andata in segreteria, ma l'ha trovata
chiusa.
Se *si fosse informata*, *avrebbe saputo* che il
pomeriggio non si ricevono gli studenti.

(informarsi-sapere)

2. Carlo ha di nuovo sbagliato a fare i conti.
Se tu *gli avessi insegnato* esattamente come si fa,
non *avrebbe commesso* un altro errore.

(insegnargli-commettere)

3. Ieri ho passato tutto il pomeriggio in casa.
Davvero? Se *ce lo avessi*, *saremmo venuti* a
trovarti.

(dircelo-venire)

4. Ho l'impressione che stamattina Maria abbia
evitato di salutarmi.
No, forse era distratta e non ti ha visto. Se
ti avesse visto ti avrebbe salutato certamente.

(vederti-salutarti)

5. Le piace il mestiere che fa?
Sì, ma se da giovane *avessi potuto, avrei preferito*
studiare.

(potere-preferire)

8. Come sopra:

> Non sapevate che i negozi sono chiusi il
> lunedì mattina?
> *Se* lo *sapevamo, non uscivamo.*

(sapere-non uscire)

1. Hanno fatto tutta la strada a piedi ed ora sono
stanchi.
Se .... l'autobus, ...

(prendere - non stancarsi)

2. La lettera di Mario ci ha messo tre giorni
per arrivare.
Se .... per via aerea, ... prima.

(mandarla-arrivare)

Lessico nuovo: –

3. Avresti potuto prendere l'aereo: non ti
   saresti stancata tanto.
   Se _____ in aereo, _____ il doppio.   (viaggiare-spendere)

4. Siamo arrivati a casa bagnati fradici.
   Se _____, _____ io.   (telefonarmi-accompagnarvi)

5. Quando le ho raccontato ciò che avevo fatto,
   Luisa si è arrabbiata.
   Se _____ zitto, questo _____ .   (stare-non succedere)

9. Come sopra:

> Lucia ha ancora mal di testa.
> *Se avesse preso* subito una compressa, ora   (prendere-non averlo)
> *non* lo *avrebbe* più.

1. Stamattina non ho fatto colazione, perciò
   ho una fame da lupo.
   Meglio così. Se tu _____, ora forse _____ appetito.   (farla-non avere)

2. Giorgio ha le mani bucate e non riesce a
   mettere da parte neppure una lira.
   Se i genitori _____ ad una vita più   (abituarlo-avere)
   modesta, ora _____ anche lui dei
   risparmi.

3. Franco ha studiato l'inglese a scuola ma non
   è capace di dire due parole.
   Se, come me, _____ ad impararlo in   (andare-parlarlo)
   Inghilterra, ora _____ fluentemente.

4. Il signor Martini ha problemi con i figli.
   Se _____ di più alla famiglia, ora il   (dedicarsi-essere)
   suo rapporto con i figli _____ ·
   migliore.

5. È strano che alle dieci Sergio non si sia
   ancora svegliato.
   Infatti. Se _____ la notte in   (non passare-
   discoteca, _____ ancora.   non dormire)

Lessico nuovo: compressa.

VI

A. Il periodo ipotetico si può costruire anche in modo diverso da quelli visti fin qui:

> *al futuro*

1. *Se puoi, prendi* i biglietti anche per noi!

Se è stanca, vada a letto!

Se esci, copriti bene!

Se preferisci, guida tu!

> *al futuro o al passato*

2. *Stando* attenta al mangiare, *perderai* qualche chilo in più.

Conoscendo le lingue, *troverebbe* più facilmente un impiego, signorina.

Essendo partita in macchina, a quest'ora *sarei* già a casa.

Avendo prenotato per tempo, *avremmo potuto* trovare posto in albergo anche in agosto.

Attenzione!

Il gerundio si può usare soltanto se il soggetto dei due verbi è lo stesso.

B. Forme alterate dei sostantivi, degli aggettivi e degli avverbi.

Mary : Sentite, ragazzi, ho un problema di lingua e vi prego di aiutarmi a risolverlo.

Cesare: Speriamo di esserne capaci.

Marco : Dicci qual è il tuo problema.

Mary : Ecco, si tratta di questo: non riesco a capire come mai certe parole prendono una terminazione che le rende diverse da quelle che ho imparato. Per esempio: che differenza c'è fra "casa" e "cas*etta*"?

Marco : Dicendo "cas*etta*" esprimiamo due concetti allo stesso tempo: la casa di cui parliamo è piccola e in più ci è cara.

Lessico nuovo: trattarsi.

Mary : Allora ogni volta che si vuole dire "piccolo" e "caro" si deve aggiungere alla parola la terminazione *"etto"*?

Cesare: Sì, ma talvolta essa si usa solo per dire che qualcosa è semplicemente piccolo. Per esempio: "Ho un lavor*etto* da finire". "Andiamo a fare un gir*etto* in macchina?"; "In quel paese c'è una chies*etta* molto antica". "Ho ricevuto un pacch*etto* da Luigi"., eccetera.

Marco : Esistono, però, altre terminazioni per dire che una cosa è piccola, e cioè: *"ino", "ello", "uccio"*.

Mary : Fammi qualche esempio, per favore!

Marco : Ecco i primi che mi vengono in mente: "Pier*ino* gioca con il tren*ino* elettrico"; "Quel gatt*ino* ha il pelo morbido e lucido"; "Ho bevuto un vin*ello* locale molto leggero"; "Nel giardino ci sono anche degli alber*elli* da frutta"; "Tirava un bel ventic*ello*"; "Si sta bene al cald*uccio*".

Mary : Queste forme valgono solo per i nomi, se ho ben capito.

Cesare: No, si possono usare anche con altre parole. Per esempio si può dire: "Oggi Luisa sta mal*uccio*"; "Parlano ben*ino* il francese"; "La mia valigia è pesant*ina*"; "È un ragazzo grandic*ello*"; "Il centro è lontan*uccio* da qui".

Mary : Abbiamo visto come si dà il significato di "piccolo" e "caro" alle parole. E per indicare che sono grandi e brutte come si dice?

Marco : Se vuoi dire che una cosa è grande, devi aggiungere alla parola la terminazione *"one"*. Il fatto curioso è che in questo caso i nomi femminili diventano maschili: "I libri che non mi servono sono in uno scatol*one*"; "Ci siamo seduti sotto l'ombrell*one*"; "Ho mangiato un piatt*one* di spaghetti"; "Mi ha fatto un regal*one*!"; "Ho comprato un giacc*one* di pelle".
Se, invece, vuoi dire che qualcosa è brutto oppure cattivo, basta aggiungere la terminazione *"accio"*. Per esempio: "Con questo temp*accio* è meglio restare a casa"; "Gianni fa una vit*accia*: lavora dalla mattina alla sera"; "Non mi piacciono le persone che dicono le parol*acce*"; "Non dovete frequentare quella gent*accia*!"; "È una stoff*accia* da quattro soldi, eppure fa figura".

Mary : Grazie, ragazzi, e scusate se vi ho rubato troppo tempo.

Marco : È stato un piacere per noi!

Lessico nuovo: pelo - morbido - lucido - locale (agg.) - pelle.

VII

1. Trasformate i dialoghi secondo il modello:

> Se potessi farlo, abiteresti a Roma?
> Sì, *potendo* farlo, ci abiterei.
> No, *anche potendo* farlo, non ci abiterei.

1. Se ricevessi un aumento di stipendio, resteresti in questo ufficio?
   Sì, ...
   No, ...
2. Se avessi l'influenza, staresti a letto?
   Sì, ...
   No, ...
3. Se trovassi una buona occasione, andresti a lavorare all'estero?
   Sì, ...
   No, ...
4. Se volessi riposarti, potresti rimanere a casa domani?
   Sì, ...
   No, ...
5. Se fossi soddisfatta, torneresti nella stessa località?
   Sì, ...
   No, ...

2. Completate i dialoghi secondo il modello:

> Peccato che Lei non abbia dormito tutta la notte!
> Certo! Avendo dormito, ora mi sentirei meglio.

1. Peccato che Lei non abbia smesso di fumare!
   Certo! ...., ora avrei una salute di ferro.
2. Peccato che Lei non abbia sentito tutto!
   Certo! ...., ora saprei esattamente cosa rispondere.
3. Peccato che Lei non abbia cominciato prima a fare dello sport!
   Certo! .... prima, ora proverei minore fatica.

Lessico nuovo: –

4. Peccato che Lei non abbia continuato a suonare il pianoforte!
   Certo! ...., ora saprei come passare qualche ora piacevole.

5. Peccato che Lei non abbia ordinato subito, senza aspettare gli altri!
   Certo .... subito, ora sarei già al secondo.

3. Riscrivete le frasi, sostituendo alle parole sottolineate la corrispondente forma alterata del sostantivo, dell'aggettivo o dell'avverbio:

1. Avete fatto *un grosso affare* a comprare quella casa.
   ....

2. Il prezzo di questi stivali mi sembra *piuttosto alto*.
   ....

3. Gianni parla *abbastanza bene* il tedesco.
   ....

4. I Rossi ci hanno invitato *alla grande cena* di fine anno.
   ....

5. Ti prego di non fare più questi *brutti scherzi*.
   ....

6. Il vestito ti è rimasto *un po' troppo corto*.
   ....

7. Ieri Marco ha fatto *una brutta figura* con Luisa.
   ....

8. Da qui il centro è *piuttosto lontano*.
   ....

9. Per andare a Pisa ci vuole *più o meno un'ora*.
   ....

10. Carla è così magra, perché mangia *relativamente poco*.
    ....

VIII *Raccontate il contenuto del dialogo introduttivo, completando il seguente testo:*

Carla e Marco hanno comprato .... in campagna. Giulio .... diverse volte e se venerdì .... bel tempo, ci .... di nuovo, perché secondo lui è il luogo .... per passare .... ora nel silenzio più .... e la salute .... Parlando con

Lessico nuovo: –

Franca, Giulio le chiede se .... interesserebbe andarci una volta.
Franca risponde che se ...., ... volentieri di passare una
giornata .... Quando Giulio dice che la casa di Marco .... su
una collina e che per arrivarci bisogna .... una stradina che ....
un bosco, Franca osserva che non avrebbe .... a starci da sola e
che vivrebbe sempre con la paura ....
Giulio risponde che Carla e Marco hanno sempre .... e, inoltre,
hanno due cani ....
Quando Franca scopre che i loro amici hanno anche un bellissimo ....,
decide di .... con Giulio da Carla e Marco .... per fare
una corsa .... cavallo .... prati.
Giulio conclude dicendo che se loro .... che quello era il suo ....
.... maggiore, ... prima a casa loro.

IX   *Rispondete alle seguenti domande:*

1. Come preferisce passare il tempo libero?

2. Preferisce la campagna o il mare? Dica perché.

3. Se potesse, vivrebbe in un posto isolato? Spieghi perché.

4. Lei ama gli animali? Se sì, dica quali preferisce.

5. In Italia avere un cavallo è piuttosto raro. È lo stesso nel Suo paese?

X   *Test*

A. Trasformate le frasi indipendenti in periodi ipotetici:

1. Non ho tempo, altrimenti mi fermerei ancora un po'.

   ....

2. Siamo a corto di soldi, altrimenti pranzeremmo fuori.

   ....

3. Siete pigri, altrimenti potreste venire con noi a sciare.

   ....

4. I lavoratori hanno delle rivendicazioni da avanzare, altrimenti non
   sciopererebbero.

   ....

5. Queste scarpe mi stanno strette, altrimenti le metterei più spesso.

   ....

Lessico nuovo: –

B. Come sopra:

1. Anna ha perduto l'autobus, se no sarebbe arrivata puntuale come ogni giorno.

   ....

2. Luigi non ha trovato la donna ideale, se no non sarebbe rimasto scapolo.

   ....

3. Avevo un impegno precedente, se no avrei accettato di andare a cena da Carlo.

   ....

4. Non eravamo soddisfatti della sistemazione, se no non avremmo protestato.

   ....

5. Hanno acceso il riscaldamento, se no avremmo sentito freddo durante la notte.

   ....

C. Trasformate le frasi, sostituendo al modo congiuntivo una forma corrispondente:

1. Se facessero qualche sport, i ragazzi crescerebbero più sani.

   ....

2. Se avessi mangiato abbastanza, non ti sentiresti così debole.

   ....

3. Se avesse avuto più cura dei denti, ora Lei avrebbe una bocca sana.

   ....

4. Se esprimeste apertamente il vostro dissenso, diventereste antipatici a chi ha avuto quell'idea.

   ....

5. Se avessimo comprato un appartamento in condominio, dovremmo sopportare il rumore dei vicini.

   ....

Lessico nuovo: –

D. Scegliete la forma corretta fra le tre indicate:

1. alberello $\boxed{a}$ alberetto $\boxed{b}$ alberuccio $\boxed{c}$

2. costosuccio $\boxed{a}$ costosello $\boxed{b}$ costosetto $\boxed{c}$

3. dolorone $\boxed{a}$ dolorino $\boxed{b}$ dolorello $\boxed{c}$

4. lentino $\boxed{a}$ lentone $\boxed{b}$ lentetto $\boxed{c}$

5. maluccio $\boxed{a}$ maletto $\boxed{b}$ malello $\boxed{c}$

6. operina $\boxed{a}$ operetta $\boxed{b}$ operella $\boxed{c}$

E. Fate il XIII test.

Lessico nuovo: –

A questo punto Lei conosce
1928 parole italiane

Una visita medica

Pietro ha sempre goduto di una salute di ferro, pertanto è per lui una brutta sorpresa quando un giorno si sveglia con la febbre. Siccome si sente debole e non riesce ad alzarsi, decide di chiamare il medico.

Dr. Rossi: Che sintomi avverte?

Pietro   : Mi fa male la testa, mi brucia la gola e di tanto in tanto mi esce il sangue dal naso.

Dr. Rossi: Ha la febbre?

Pietro   : Quando l'ho misurata alle otto ne avevo qualche linea, ma sento che ora è cresciuta.

Dr. Rossi: Ha già preso qualche medicina?

Pietro   : No, ho preferito aspettare Lei.

Dr. Rossi: Ha fatto bene. Se una medicina *è presa* senza che ce ne sia effettivo bisogno, può fare solo male. Nel Suo caso si tratta di una banale influenza che normalmente *viene curata* con il riposo a letto, con qualche aspirina ed, eventualmente, con degli antibiotici. Comunque vorrei misurarLe la pressione. Vediamo ...

Pietro   : È normale?

Dr. Rossi: No, è un po' alta, per cui *va tenuta* sotto controllo. A parte l'influenza, malattia che *si prende* facilmente in questa stagione, Lei ha dei disturbi alla circolazione che *non vanno trascurati* se *si vogliono* evitare complicazioni.

Pietro   : È una cosa grave? Sono malato di cuore?

Dr. Rossi: È presto per dirlo. Appena sarà guarito dall'influenza, Le consiglio di farsi ricoverare in ospedale dove *potrà essere sottoposto* a tutti gli esami del caso.

Pietro   : Intanto cosa mi prescrive?

Lessico nuovo: ventitreesimo - visita - pertanto - febbre - sintomo - bruciare - sangue - misurare - medicina - effettivo - banale - aspirina - eventualmente - antibiotico - pressione - controllo - malattia - disturbo - circolazione - trascurare - complicazione - malato - guarire - ricoverare - ospedale - sottoporre - prescrivere.

Termini tecnici: passivo - passivante.

ventitreesima unità
(unità numero ventitré)

forma passiva - forma impersonale (2) - "si passivante"

Dr. Rossi: Per il momento pensiamo a curare l'influenza. Ecco a Lei la ricetta. Queste compresse *vanno prese* due volte al giorno, prima dei pasti principali. L'antibiotico, invece, *va preso* solo nel caso in cui la febbre salga.

Pietro   : Non *è stata scoperta* nessuna medicina che *possa essere presa* al posto dell'aspirina? Ho sentito che questa fa male allo stomaco.

Dr. Rossi: Purtroppo per ora non c'è altro in commercio. Comunque non si preoccupi: il problema esiste nel caso in cui la medicina *debba essere presa* per lunghi periodi.

Pietro   : Grazie, dottore! ✗

II   *Ora ripetiamo insieme:*

– Alle otto avevo qualche linea di febbre, ma sento che ora è cresciuta.

– Normalmente l'influenza viene curata con il riposo a letto.

– La pressione è un po' alta, per cui va tenuta sotto controllo.

– L'influenza si prende facilmente in questa stagione.

– Questi disturbi non vanno trascurati se si vogliono evitare complicazioni.

– In ospedale potrà essere sottoposto a tutti gli esami del caso.

– L'antibiotico va preso solo nel caso in cui la febbre salga.

– Non è stata scoperta nessuna medicina che possa essere presa al posto dell'aspirina?

Lessico nuovo: ricetta - pasto - commercio.

III   *Rispondete alle seguenti domande:*

1. Pietro è stato spesso malato?
2. Cosa ha ora Pietro?
3. Cosa gli fa il medico?
4. Cosa gli dice a proposito dei disturbi alla circolazione?
5. Cosa gli consiglia di fare appena sarà guarito dall'influenza?
6. Che medicine gli prescrive?
7. Quando vanno prese?

IV   *La forma passiva.*

Nel testo introduttivo avete visto
alcune forme passive, come *è presa,
viene curata, va tenuta, si prende, è
stata scoperta,* ecc..
Esaminiamo ora, caso per caso, i
diversi tipi di costruzione passiva.

attivo   passivo   neutro

(da una grammatica inglese del XVIII sec.)

A. La forma passiva dei verbi transitivi *nei tempi semplici* si può costruire *in
due modi:* o con il verbo **essere** o con il verbo **venire**.

Forma attiva	*Forma passiva*
Luisa invita Carla tutte le domeniche.	a. Carla *è invitata da Luisa* tutte le domeniche.
	b. Carla *viene invitata da Luisa* tutte le domeniche.
Pochi leggono i giornali.	a. I giornali *sono letti da pochi.*
	b. I giornali *vengono letti da* pochi.
Molti tifosi seguiranno la partita alla tv.	a. La partita *sarà seguita da molti tifosi* alla tv.
	b. La partita *verrà seguita da molti tifosi* alla tv.
Uccisero Kennedy nel 1963.	a. Kennedy *fu ucciso* nel 1963.
	b. Kennedy *venne ucciso* nel 1963.
Ai miei tempi *i figli rispettavano* i genitori.	a. Ai miei tempi i genitori *erano rispettati dai figli.*
	b. Ai miei tempi i genitori *venivano rispettati dai figli.*

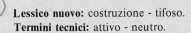

Lessico nuovo: costruzione - tifoso.
Termini tecnici: attivo - neutro.

Osservazioni.

a. Al tempo e al modo della forma attiva corrispondono il tempo e il modo del verbo *essere* e *venire* della forma passiva.
   Il participio si accorda con il soggetto.

b. La frase alla forma passiva ha, in teoria, lo stesso senso della frase alla forma attiva. In realtà, dicendo "Luisa *invita* Carla ..." vogliamo riferire cosa fa Luisa, mentre con la frase "Carla *è invitata* da Luisa..." intendiamo dire cosa succede a Carla.

c. Non tutte le frasi alla forma attiva hanno un'esatta corrispondenza di uso nella forma passiva. In certi casi si usa soltanto la forma attiva:

SÌ	NO
Il bambino mangia troppi dolci.	Troppi dolci sono mangiati dal bambino.
Faccio ogni giorno una lunga nuotata.	Una lunga nuotata è fatta da me ogni giorno.

In altri casi si preferisce la forma passiva:

Meno comune	*Più comune*
Hanno eletto l'avvocato Mari deputato per la terza volta.	L'avvocato Mari è stato eletto deputato per la terza volta.
Hanno colto i ladri sul fatto.	I ladri sono stati colti sul fatto.
Avvertiranno per tempo gli interessati.	Gli interessati saranno avvertiti per tempo.

d. Nella forma passiva non sempre è necessario indicare chi fa l'azione:

Carla | è invitata / viene invitata | *da Luisa* tutte le domeniche.   = Carla | è invitata / viene invitata | tutte le domeniche.

e. *I verbi modali* non hanno la forma passiva:
   I cittadini *possono* criticare la politica del governo.
   La politica del governo *può* *essere criticata* dai cittadini.

f. *La costruzione perifrastica* non può essere usata alla forma passiva:
   Il meccanico *sta riparando* la macchina di Lucio.   - - - - - - - - - -

Lessico nuovo: esatto - cogliere.

1. Trasformate le frasi secondo il modello:

> Una segretaria *batte* a macchina le mie lettere.
> Le mie lettere *sono battute* a macchina da una segretaria.

1. Molti invidiano la sua fortuna.

....

2. Pochi riconoscono i propri errori.

....

3. I bambini imparano presto le lingue.

....

4. Il direttore esamina le domande di lavoro.

....

5. Troppe fabbriche inquinano l'aria.

....

2. Come sopra:

> Le mie lettere *sono battute* a macchina da una segretaria.
> Le mie lettere *vengono battute* a macchina da una segretaria.

1. La sua fortuna è invidiata da molti.

....

2. I propri errori sono riconosciuti da pochi.

....

3. Le lingue sono imparate presto dai bambini.

....

4. Le domande di lavoro sono esaminate dal direttore.

....

5. L'aria è inquinata da troppe fabbriche.

....

Lessico nuovo: –

3. Come sopra:

> Talvolta *teneva* le lezioni un altro insegnante.
> Talvolta le lezioni *erano tenute* da un altro insegnante.

1. Di solito loro prendevano ogni decisione di comune accordo.

....

2. Stasera tutti vedranno la partita alla tv.

....

3. Quel giorno molti hanno capito male le tue parole.

....

4. Il direttore aveva rivolto l'invito a tutti gli impiegati.

....

5. Diverse persone subirono quell'ingiustizia.

....

B. La forma passiva dei verbi transitivi *nei tempi composti* si costruisce in *un solo modo:*

Forma attiva	Forma passiva
Luisa ha invitato a pranzo Carla.	Carla *è stata invitata* a pranzo *da Luisa.*
Molti tifosi avevano seguito la partita alla tv.	La partita *era stata seguita da molti tifosi* alla tv.
Certamente *i giornali avranno pubblicato* questa notizia.	Certamente questa notizia *sarà stata pubblicata dai giornali.*
I ladri hanno compiuto il furto di notte.	Il furto *è stato compiuto (dai ladri)* di notte.

Lessico nuovo: pubblicare - furto.

1. Trasformate le frasi secondo il modello:

> Gianni *ha rotto* la bottiglia di vino.
> La bottiglia di vino *è stata rotta* da Gianni.

1. Cristoforo Colombo ha scoperto l'America.

....

2. La radio ha diffuso questa notizia già ieri.

....

3. Molti studenti hanno seguito il corso d'italiano.

....

4. Il presidente ha tenuto il discorso ufficiale.

....

5. Il nuovo ministro ha risolto la questione delle tasse.

....

2. Come sopra:

> In cantina *hanno trovato* delle vecchie bottiglie di vino.
> In cantina *sono state trovate* delle vecchie bottiglie di vino.

1. Hanno citato i loro nomi diverse volte.

....

2. Dietro consiglio dei clienti, hanno tradotto le istruzioni in varie lingue.

....

3. Hanno servito i liquori dopo cena.

....

4. In un mese hanno commesso cinque rapine alle banche.

....

5. Hanno risolto i problemi più gravi in brevissimo tempo.

....

Lessico nuovo: –

C. La forma passiva con i verbi modali.

Come avete visto al punto e. delle *Osservazioni,* i verbi modali non hanno la forma passiva. Per tale ragione, se si vuole mettere alla forma passiva una frase attiva che contiene i verbi "potere" e "dovere", si deve usare la forma passiva dell'infinito che li segue.

Forma attiva	*Forma passiva*
Uno straniero non può leggere un libro così difficile.	Un libro così difficile *non può essere letto da uno straniero.*
Dovranno aumentare le tasse, perché lo Stato ha bisogno di soldi.	Le tasse *dovranno essere aumentate,* perché lo Stato ha bisogno di soldi.

1. Trasformate le frasi secondo il modello:

> Tutti *devono rispettare* la legge.
> La legge *deve essere rispettata* da tutti.

1. Tutti dovrebbero conoscere la verità su quel fatto.

   ....

2. Ogni studente può chiedere la tessera per la mensa.

   ....

3. La gente non dovrebbe abbandonare certe vecchie usanze.

   ....

4. Gli interessati potranno richiedere informazioni più precise per iscritto.

   ....

5. Entrambi i genitori dovrebbero seguire i figli.

   ....

Lessico nuovo: contenere.

D. La forma passiva si costruisce anche premettendo "si" alla terza persona singolare e plurale di un verbo transitivo. Tale struttura si usa normalmente quando non è indicato chi fa l'azione.

Le lettere urgenti	*sono spedite* *vengono spedite* *si spediscono*	per espresso.
L'influenza	*deve essere curata* *si deve curare*	come ogni altra malattia.
Le ferie	*possono essere prese* *si possono prendere*	in qualsiasi periodo dell'anno.
Sono stati fatti *Si sono fatti*	diversi progetti	per il nuovo parcheggio.

1. Trasformate le frasi secondo il modello:

> L'influenza *viene presa* facilmente in questa stagione.
> L'influenza *si prende* facilmente in questa stagione.
>
> Certe malattie *vengono prese* normalmente nell'infanzia.
> Certe malattie *si prendono* normalmente nell'infanzia.

1. Di tanto in tanto vengono scoperte nuove tecnologie.
....

2. Non sempre viene detta tutta la verità su certi fatti gravi.
....

3. Con il pesce viene servito di solito il vino bianco.
....

4. In certe zone il riscaldamento viene acceso prima che in altre, a causa del clima freddo.
....

5. Spesso vengono fatte molte chiacchiere e pochi fatti.
....

Lessico nuovo: –

2. Come sopra:

> Per fare questa ricerca *è stato usato* il computer.
> Per fare questa ricerca *si è usato* il computer.

1. Su quel fatto è stato scritto un fiume di parole.

2. Per la fretta è stata presa una decisione sbagliata.

3. Il concerto è stato tenuto al teatro Verdi.

4. La partita è stata giocata sotto la pioggia.

5. Quest'anno il riscaldamento è stato spento soltanto alla fine di maggio.

3. Come sopra:

> In questo secolo *sono stati fatti* molti progressi in tutti i campi.
> In questo secolo *si sono fatti* molti progressi in tutti i campi.

1. Negli ultimi anni sono stati costruiti molti alloggi.

2. Per importare carne dall'estero sono state spese somme enormi.

3. Durante la riunione sono state chiarite le questioni più importanti.

4. Sono stati fatti molti passi avanti nella ricerca delle cause della malattia del secolo.

5. Per via degli scioperi sono state perdute molte ore di lavoro.

Lessico nuovo: –

E. La forma passiva si costruisce, inoltre, con il verbo **andare** nei tempi semplici. Questa costruzione viene scelta quando si vuole dare all'azione un carattere di necessità o dovere.

è curata L'influenza *viene curata* con l'aspirina. *si cura*	(stesso senso)

L'influenza **va curata** come ogni altra malattia.	*(va = deve essere* curata/ *si deve* curare)

sono rispettati I patti *vengono rispettati* ad ogni costo. *si rispettano*	(stesso senso)

I patti **vanno rispettati** ad ogni costo.	(vanno rispettati = *devono essere* rispettati *si devono* rispettare)

1. Trasformate le frasi secondo il modello:

> Questa stoffa *deve essere lavata* a secco.
> Questa stoffa *va lavata* a secco.

1. La casa deve essere tenuta pulita.

....

2. I regali dovrebbero essere presentati con una bella confezione.

....

3. Il contorno deve essere servito insieme al secondo piatto.

....

4. Quella promessa doveva essere mantenuta.

....

5. A tutti dovrebbe essere assicurato un lavoro fisso.

....

Lessico nuovo: carattere.

F. I pronomi diretti della frase attiva spariscono quando questa si mette alla forma passiva.

È una regola fondamentale:	la	conoscono	tutti.
È una regola fondamentale:	–	è conosciuta	da tutti.

È un fatto certo:	me	l'	ha raccontato	Giulio.
È un fatto certo:	mi	–	è stato raccontato	da Giulio.

Bella questa foto!	Chi	Glie	l'	ha fatta?
Bella questa foto!	Da chi	Le	–	è stata fatta?

Osservate!

Poiché con i pronomi combinati il pronome diretto sparisce, il pronome indiretto torna alla sua forma normale.

1. Trasformate le frasi secondo il modello:

> Hai trovato i biglietti per il concerto? Chi te li ha procurati?
> Hai trovato i biglietti per il concerto? Da chi ti sono stati procurati?
> Lei ha ricevuto un'informazione sbagliata. Chi Gliel'ha data?
> Lei ha ricevuto un'informazione sbagliata. Da chi Le è stata data?

1. Lo sa già? Chi Gliel'ha detto?
   Lo sa gia? ....

2. Questa macchina non è tua. Chi te l'ha prestata?
   Questa macchina non è tua. ....

3. Belli questi dischi! Chi Glieli ha regalati?
   Belli questi dischi! ....

4. Non sono tue queste riviste? Chi te le ha date?
   Non sono tue queste riviste? ....

5. L'esercizio è senza errori. Chi te li ha corretti?
   L'esercizio è senza errori. ....

Lessico nuovo: sparire.

V

1. Trasformate le seguenti frasi dallá forma attiva alle diverse forme passive possibili:

1. In quel locale fanno delle ottime pizze. ....

2. In biblioteca danno in prestito i libri per una settimana. ....

3. Anna guiderà la macchina di Renzo. ....

4. Il Parlamento ha approvato la legge sulle pensioni. ....

5. Mi hanno raccontato questa storia qualche tempo fa. ....

6. Mandavano le lettere urgenti sempre per via aerea. ....

7. Gli perdonarono l'errore che aveva commesso. ....

8. Prima che arrivassero gli ospiti, legarono il cane ad un albero del giardino. ....

9. Maria si era così ingrassata che non la riconobbe nessuno. ....

10. Venderebbero subito quella macchina se costasse un po' meno. ....

2. Completate le frasi secondo il senso, usando i convenienti verbi modali (potere, dovere):

1. Una lettera confidenziale .... a mano.   (scrivere)

2. Questi fogli non servono più: .... via.   (buttare)

3. La stessa idea .... con parole più semplici. (esprimere)

4. Il corso .... per almeno tre mesi.   (frequentare)

5. Questo lavoro .... bene solo da Lei.   (fare)

Lessico nuovo: –

3. Trasformate le frasi nelle altre forme passive possibili:

1. Queste compresse devono essere prese
   a stomaco pieno.   ....
                                                        ....

2. Quest'orologio non può essere riparato.   ....
                                                        ....

3. Quei libri non possono essere prestati.   ....
                                                        ....

4. Quando una persona sta parlando non
   deve essere interrotta.   ....
                                                        ....

5. Prima di entrare in piscina si deve
   fare la doccia.   ....
                                                        ....

4. Completate le frasi con la forma conveniente del verbo:

1. Viaggiando .... gente nuova.   (conoscere)

2. Il libro che cerchi .... in ogni libreria.   (trovare)

3. Questi pantaloni .... in varie occasioni.   (mettere)

4. In quel negozio .... tutto a buon mercato.   (comprare)

5. Sai come .... in inglese questa parola?   (dire)

6. Può dirmi come .... gli spaghetti alle   (preparare)
   vongole?

7. Le cose di lana .... meglio a mano.   (lavare)

8. Il vino bianco .... freddo.   (bere)

9. L'affitto .... in anticipo.   (pagare)

10. La riunione .... il prossimo venerdì.   (tenere)

Lessico nuovo: –

5. Trasformate la frase B secondo il modello A:

A. L'ingegner Rossi realizza questo progetto.

B. Il professor Bianchi fa questa ricerca.

1. Questo progetto è realizzato dall'ingegner Rossi.

   ....

2. Questi progetti sono realizzati dall'ingegner Rossi.

   ....

3. Questo progetto viene realizzato dall'ingegner Rossi.

   ....

4. Questi progetti vengono realizzati dall'ingegner Rossi.

   ....

5. Questo progetto deve essere realizzato.

   ....

6. Questi progetti devono essere realizzati.

   ....

7. Questo progetto si deve realizzare.

   ....

8. Questi progetti si devono realizzare.

   ....

9. Questo progetto va realizzato.

   ....

10. Questi progetti vanno realizzati.

    ....

11. Questo progetto può essere realizzato.

    ....

12. Questi progetti possono essere realizzati.

    ....

13. Questo progetto si può realizzare.

    ....

14. Questi progetti si possono realizzare.

    ....

15. Questo progetto si realizza facilmente.

    ....

16. Questi progetti si realizzano facilmente.

    ....

17. Chi ha realizzato questo progetto?

    ....

18. Da chi è stato realizzato questo progetto?

    ....

19. Da chi sono stati realizzati questi progetti?

    ....

20. Chi ti ha realizzato questo progetto?

    ....

21. Chi te l'ha realizzato?

    ....

22. Da chi ti è stato realizzato?

    ....

Lessico nuovo: –

VI   *La forma impersonale.*

A. Nella decima unità abbiamo visto che la forma impersonale si costruisce premettendo *uno* o la particella *"si"* alla terza persona singolare di un *verbo intransitivo* o *riflessivo:*

a. Quando *uno* viaggia per piacere,   *si* trova bene in qualsiasi posto.
b. Quando *si*   viaggia per piacere, *ci si* trova bene in qualsiasi posto.

La forma impersonale si costruisce, inoltre, premettendo la particella *"si"* anche ad un *verbo transitivo,* se questo non è seguito dall'oggetto.

Forma impersonale	*Forma passiva*
D'estate *si beve* di più.	D'estate *si beve* più acqua.
Si consiglia di evitare l'autostrada.	*Si consiglia* la vecchia strada.
Si attraversa solo quando il semaforo è verde.	*Si attraversa* la strada solo quando il semaforo è verde.
Con questo sistema di riscaldamento *si risparmia* molto.	Con questo sistema di riscaldamento *si risparmia* molto denaro.

Osservate!

> Carlo mangia bene in questo ristorante.
> *Uno*   mangia bene in questo ristorante.
> *Si*   mangia bene in questo ristorante.

1. Trasformate ora le frasi secondo la seguente struttura:

> Se Giorgio arriva in ritardo, non può entrare.
> Se *uno*   arriva in ritardo, non può entrare.

1. In treno Roberto viaggia più comodamente.

....

2. Di mattina Carla lavora meglio che di sera.

....

Lessico nuovo: risparmiare.

3. In questo ristorante Luigi mangia bene.

....

4. Di questi tempi Stefano guadagna di più, ma spende anche di più.

....

5. Quando sarà pronta la nuova strada, noi potremo risparmiare qualche chilometro.

....

2. Come sopra:

> Se *si* arriva in ritardo, non si può entrare.

1. In questi ultimi tempi uno guadagna di più, ma spende anche di più.

....

2. Quando sarà pronta la nuova strada, uno potrà risparmiare qualche chilometro.

....

3. Prima in questo paese uno viveva meglio.

....

4. Con questa macchina uno può correre molto.

....

5. Come è noiosa questa città! Uno non sa cosa fare.

....

B. La forma impersonale dei verbi *essere, diventare, rimanere, stare,* seguiti da un aggettivo.

> Uno è felice quando   è libero.
> *Si*   è felic*i* quando *si* è liber*i*.
>
> Uno diventa noioso se   parla troppo.
> *Si*   *diventa* noios*i* se si parla troppo.
>
> *Si rimane* delus*i* quando non si ottiene ciò che si vuole.

Nota: L'aggettivo che segue la forma impersonale dei verbi *essere, diventare, rimanere* e *stare* prende sempre la terminazione plurale. Il verbo è sempre alla terza persona singolare.

Lessico nuovo: –

1. Trasformate le frasi secondo i modelli visti sopra:

1. Con questa gente uno non è mai sicuro di sapere la verità.

....

2. Alla fine di un lavoro lungo e difficile uno è sempre contento.

....

3. Uno è triste quando rimane solo.

....

4. I guai cominciano quando uno diventa vecchio.

....

5. Se uno non ha la certezza di trovare lavoro, non sta tranquillo.

....

C. La forma impersonale di un verbo riflessivo.

> 1. *Uno si stanca* a viaggiare spesso.
>   *Ci   si stanca* a viaggiare spesso.

> 2. Dopo un lungo viaggio *uno si sente* stanco.
>   Dopo un lungo viaggio *ci   si sente* stanch*i*.

Nota: Come nel caso della forma impersonale dei verbi *essere, diventare, rimanere* e *stare*, anche l'aggettivo che segue la forma impersonale di un verbo riflessivo prende la terminazione plurale.

1. Trasformate le frasi secondo i modelli precedenti:

1. Se Carla mangia troppo ed in fretta, si ingrassa e sta male.

....

2. Quando uno sta bene, si sente in forma per lavorare.

....

3. Se uno non sta allo scherzo, si offende facilmente.

....

4. Quando uno è indipendente, si sente più libero.

....

5. Facendo dello sport, uno si mantiene giovane.

....

Lessico nuovo: –

D. Il "si passivante" nei tempi semplici.

> Laggiù *si vede* una cas*a* vecchia.
> Lassù *si vedono* due cas*e* in costruzione.
>
> Viaggiando *si spende* molto denar*o*.
> Viaggiando *si spendono* molti sold*i*.

1. Completate le frasi con la forma conveniente del verbo:

1. Una lingua .... meglio nel paese in cui è parlata. (imparare)
2. Questi libri non .... in nessuna libreria. (trovare)
3. Quel vestito di seta .... di sera. (mettere)
4. I francobolli .... negli uffici postali o dal (comprare) tabaccaio.
5. Normalmente le ferie .... in luglio oppure in (prendere) agosto.

E. La forma impersonale e il "si passivante" nei tempi composti.

a. *Forma impersonale* dei verbi coniugati con "avere"	Se *si alloggia* in quell'albergo, vuol dire che si è ricchi.
	Se *si è alloggiato* una volta in quell'albergo, si desidera tornarci.

1. Mettete al passato le seguenti frasi, secondo il modello precedente:

1. In questo ristorante di solito *si mangia* bene.
   In questo ristorante .... sempre bene.
2. Se *si smette* di fumare, la salute ci guadagna.
   Quando .... di fumare, si avvertono subito i vantaggi.
3. Se *si legge*, s'imparano molte cose.
   Quando .... molto, si ha una buona cultura.
4. Se *si lavora* anche il sabato, si ha poco tempo libero.
   Quando .... per molti anni, si desidera andare in pensione.
5. Se *si prenota* per tempo, si trova posto in albergo.
   Se .... per tempo, si ha la certezza di trovare posto in albergo.

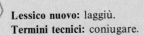

Lessico nuovo: laggiù.
Termini tecnici: coniugare.

b. *Forma im-* *personale* dei verbi coniugati con "essere"	Se *si arriva* in fondo, si è fortunati. Se *si è* arriva*ti* in fondo, ci si può considerare fortunati. Se *ci si alza* presto, si riesce a fare molto di più. Se *ci si è* alza*ti* presto, la sera ci si addormenta prima.

1. Mettete al passato le seguenti frasi, secondo i modelli precedenti:

1. Se si è gentili, si ottiene di più.
   Se ...., si lascia una buona impressione.

2. Quando si va bene ad un esame, si prova una grande gioia.
   Quando .... bene ad un esame, ci si prepara subito per il prossimo.

3. Quando si entra nel giro di persone importanti, si è soddisfatti.
   Quando .... nel giro di persone importanti, si hanno molti vantaggi.

4. Se ci si comporta male, si diventa antipatici.
   Se .... male, si deve chiedere scusa.

5. Se ci si sbaglia, bisogna correggere subito l'errore.
   Se ...., si deve avere il coraggio di ammetterlo.

c. *"si passivante"*	Se *si studia* una lingua straniera, sarà più facile trovare lavoro. Se *si è* studia*ta* una lingua straniera, è più facile trovare lavoro. Se *si studiano* diverse lingue straniere, sarà ancora più facile trovare lavoro. Se *si sono* studia*te* diverse lingue straniere, è ancora più facile trovare lavoro.

Lessico nuovo: –

1. Mettete al passato le seguenti frasi, secondo i modelli precedenti:

1. *Se si ha* la fortuna di trovare una casa a buon mercato, si deve essere contenti.

   ...., si deve essere contenti.

2. Quando *si prende* una decisione, si deve pensare a lungo.

   ...., non si deve tornare indietro.

3. Quando *si fanno* le vacanze, si spende più del normale.

   ...., si resta con pochi soldi.

4. Quando *si riceve* una delusione da una persona cara, si resta male.

   ...., si perde la fiducia in lei.

5. Quando *si studia* la grammatica, s'incontrano diverse difficoltà.

   ...., non si può ancora dire di conoscere la lingua.

VII

1. Trasformate le frasi secondo il modello:

> Su questo letto *uno* dorme bene.
> Su questo letto *si*   dorme bene.

1. In questa casa uno vive bene, perché è tranquilla.

   ....

2. In Italia uno pranza di solito all'una e mezzo.

   ....

3. Uno viaggia in aereo per arrivare prima.

   ....

4. Uno cerca sempre di guadagnare di più.

   ....

5. In questa città uno cammina volentieri, perché ci sono molte cose da vedere.

   ....

Lessico nuovo: –

2. Come sopra:

> Uno è solo quando   è vecchio.
> Si   è sol*i* quando si è vecch*i*.

1. Uno è curioso di sapere tutto quando è giovane.

....

2. Quando uno è malato ha bisogno di aiuto.

....

3. Uno è contento quando raggiunge ciò che vuole.

....

4. Quando uno è solito dormire molte ore, soffre quando non riposa
   abbastanza.

....

5. Quando uno non è adatto per un lavoro, desidera cambiarlo.

....

3. Come sopra:

> Quando uno beve troppo,   *si sente* male.
> Quando *si*   beve troppo, *ci si sente* male.

1. Se uno si cura bene, questa malattia passa presto.

....

2. Alle feste uno si diverte di più quando è fra amici.

....

3. Con questo tempo uno si deve vestire bene, soprattutto di sera.

....

4. Molte volte uno non si accorge dei propri errori.

....

5. Quando uno è giovane, si arrabbia anche per le ragioni più stupide.

....

Lessico nuovo: –

4. Come sopra:

> In quella scuola si stud*ia* una sola lingu*a* stranier*a*.
> In quella scuola si stud*iano* tre lingu*e* stranier*e*.

1. Alla banca .... il denaro.   (cambiare)
   Alla banca .... i soldi.
2. .... una persona per quell'ufficio.   (cercare)
   .... tre persone per quell'ufficio.
3. Questo vestito .... anche di sera.   (portare)
   Questi pantaloni .... anche di sera.
4. Il tennis .... all'aperto.   (giocare)
   Il tennis ed il calcio .... all'aperto.
5. Questo libro .... facilmente.   (leggere)
   Questi libri .... facilmente.

5. Completate le frasi con il tempo composto dei verbi fra parentesi:

1. Quando .... di fare una cosa, si deve mantenere   (promettere)
   la parola.
2. Quando .... una brutta abitudine, è difficile   (prendere)
   abbandonarla.
3. Quando .... ad un certo tipo di vita, non è   (abituarsi)
   piacevole cambiarlo all'improvviso.
4. Quando .... bene, ci si può permettere di vivere   (sistemarsi)
   comodamente.
5. Quando .... delle buone letture, si è colti.   (fare)

VIII

A. I diversi valori della particella "si".

1.

> *si* riflessivo

Carlo *si* lava (lava *se stesso*).
Carlo *si* è lavat*o*.
Maria *si* è lavat*a*.

Lessico nuovo: –

2.

> *si* riflessivo - reciproco

Carlo e Maria *si* salutano.
(Carlo saluta Maria, Maria saluta Carlo)

Carlo e Maria *si* sono salutat*i*.
Maria e Luisa *si* sono salutat*e*.

3.

> *si* impersonale + verbo non riflessivo

In questo ristorante *si* mangia bene.   In quel ristorante *si* è mangiat*o* bene.
(uno mangia bene)

Al concerto *si* entra senza biglietto.   Al concerto *si* è entrat*i* senza
(uno entra senza biglietto)   biglietto.

4.

> *si* impersonale + verbo + aggettivo

Si è felic*i* quando *si* è innamorat*i*.

Si *è* stat*i* felic*i* almeno quando *ci si* è innamorat*i*.

5.

> *si* impersonale + verbo riflessivo

Ci si sente felici quando *si* è innamorat*i*.
Ci si è sentit*i* felic*i* almeno quando *si* è stati innamorat*i*.

Lessico nuovo: –

6.

si passivante

In questo ristorante *si* mang*ia* pesc*e* fresc*o* tutti i venerdì.

Fino all'anno scorso *si* è mangiat*o* pesc*e* fresc*o* due volte alla settimana.

In questo ristorante *si* mang*iano* frutt*i* di mare tutti i venerdì.

Fino all'anno scorso *si sono* mangiat*i* frutt*i* di mare due volte alla settimana.

B. Raccontate il contenuto del dialogo introduttivo, completando il seguente testo:

Pietro .... sempre .... una salute .... Un giorno, però, ha
la brutta .... di svegliarsi con la febbre. .... si sente .... e
non .... ad alzarsi, decide di chiamare il medico. .... fa male la
testa, gli .... la gola, gli .... un po' di sangue dal naso ed ha
qualche .... di febbre.
Secondo il medico si tratta .... influenza, che normalmente ....
con il riposo a letto, con .... aspirina ed, ..., con degli
antibiotici. Pietro ha anche la .... un po' alta, per cui .... sotto
controllo. I disturbi alla circolazione non ...., se .... evitare
complicazioni. Il medico gli consiglia di .... in ospedale dove potrà ......
.... a tutti gli esami .... Intanto gli .... delle medicine per
curare l'influenza. Si tratta di compresse .... prima dei ....
principali e di un antibiotico che .... solo nel caso in cui la febbre
.... Pietro chiede al medico se non .... qualche medicina che
possa .... al posto dell'aspirina, perché ha sentito che questa fa male
.... Lui gli risponde che per ora non c'è altro ...., ma che
comunque non deve .... perché il problema esiste soltanto nel caso
.... la medicina .... per lunghi periodi.

C.

1. In farmacia.

- La signora è stata servita?
- No, sto aspettando.
- Mi dica!
- Vorrei delle pastiglie per la tosse e delle compresse per il mal di testa che
  siano veramente efficaci.

Lessico nuovo: farmacia - efficace.

– Se la tosse è forte, Le consiglio questo sciroppo. Va preso da due a tre volte al giorno, lontano dai pasti. Per il mal di testa, invece, Le suggerisco queste compresse: sono uscite da poco e si vendono molto bene.

– D'accordo, le prendo. Avrei bisogno anche di pillole per dormire.

– Se non Le sono state prescritte dal medico, non posso darGliele.

– Già! Dimenticavo che occorre la ricetta.

2. Dal dentista.

– Il dente Le fa molto male?

– Sì, il dolore è così forte che non riesco a sopportarlo.

– Vedo che è stato già curato, ma c'è di nuovo la carie e non si può più salvare: va tolto al più presto.

– C'è il rischio che si ammalino anche quelli vicini?

– Appunto!

– Allora devo farmi coraggio ...

– Non abbia paura: vedrà che con l'iniezione non sentirà nulla.

– Tutti gli altri sono in ordine?

– Non tutti: due si devono curare subito, altrimenti faranno la stessa fine di questo.

– Se uno comincia a curarli da bambino, è sicuro che si conservano sani?

– Non è certo in assoluto, ma le probabilità di avere una bocca sana da adulti sono molto maggiori.

IX   *Rispondete alle seguenti domande:*

1. Come molti, anche Lei si sarà certamente ammalato almeno una volta. Dica quali sintomi avvertiva.

2. Che cure prescrivono per l'influenza i medici nel Suo paese?

3. Lei prende volentieri le medicine? Dica perché.

4. Nel Suo paese le medicine sono gratuite per tutti o in qualche caso si pagano?

5. Dica come funziona la cassa malattie.

6. Esistono sufficienti posti letto negli ospedali?

7. Se può fare un confronto tra gli ospedali del Suo paese e quelli di altri paesi, dica in che senso i primi sono migliori o peggiori dei secondi.

8. Quali sono le malattie da cui vengono maggiormente colpiti gli abitanti del Suo paese?

Lessico nuovo: sciroppo - pillola - dentista - carie - salvare - rischio - ammalarsi - iniezione - adulto - gratuito - colpire.

X   *Test*

A. Mettete le frasi in tutte le possibili forme passive:

1. Affittano agli studenti solo le camere ammobiliate.
....

2. A colazione servono anche spremuta d'arancia e succo di pompelmo.
....

3. Metteranno in evidenza le pratiche urgenti.
....

4. Questo giornale non porta la cronaca locale.
....

5. Di solito parlano il dialetto solo in famiglia o fra amici.
....

B. Trasformate le frasi dalla forma attiva alla forma passiva:

1. Hanno dato la colpa dell'incidente ad un ubriaco.
....

2. Al bambino hanno regalato una scatola di baci Perugina.
....

3. In platea hanno sentito il concerto meglio che in galleria.
....

4. Negli ultimi tempi il terrorismo ha subito diverse sconfitte.
....

5. Il fiume Po attraversa la pianura padana.
....

C. Come sopra:

1. Devono chiudere la mensa per mancanza di personale.
....

2. Non possono più nascondere lo scandalo delle lottizzazioni irregolari.
....

3. I clienti devono conservare gli scontrini per un eventuale controllo.
....

4. Lo Stato deve assicurare la difesa dei cittadini.
....

5. Possono fare le vendite anche per corrispondenza.
....

Lessico nuovo: –

D. Mettete le frasi nelle forme passive corrispondenti:

1. È un lavoro difficile, perciò deve essere fatto con attenzione.

   ....

2. I film gialli devono essere visti dall'inizio.

   ....

3. Queste sedie sono scomode, quindi devono essere sostituite con altre più comode.

   ....

4. Le promesse devono essere sempre mantenute.

   ....

5. La lista deve essere rispettata, quindi nessuno dovrebbe passare avanti agli altri.

   ....

E. Mettete le frasi alla forma passiva:

1. Chi vi ha riferito questa notizia?   ....

2. Chi ti ha invitato, Luisa?   ....

3. Chi Gliel'ha regalato?   ....

4. Chi te li ha prestati?   ....

5. Chi Le ha dato l'annuncio?   ....

F. Trasformate le frasi secondo i modelli:

> In questa città *uno* può vivere bene.
> In questa città *si*   può vivere bene.
> A volte *si* può essere felic*i* anche se si è sol*i*.

1. In questa trattoria uno può mangiare con pochi soldi.

   ....

2. In questo fiume uno può fare il bagno, perché l'acqua è pulita.

   ....

Lessico nuovo: –

3. Dopo le dieci e mezzo uno non può più mangiare, perché i ristoranti sono chiusi.

....

4. Uno può essere soddisfatto anche quando non ha tutto ciò che desidera.

....

5. Uno può sembrare allegro anche quando dentro di sé è triste.

....

G. Mettete le frasi alla forma impersonale corrispondente:

1. Quando uno è grasso, fa più fatica a muoversi.

....

2. Quando uno è religioso, cerca sempre di fare del bene agli altri.

....

3. Uno è felice quando può realizzare un progetto a cui tiene molto.

....

4. Quando uno è distratto, perde facilmente le cose.

....

5. Quando uno è tenero di cuore, soffre più degli altri.

....

H. Come sopra:

1. In un paese così tranquillo, uno si riposa veramente.

....

2. Se uno si cura bene, certe malattie passano presto.

....

3. Ai primi freddi uno si ammala se non si copre bene.

....

4. Alle feste uno si diverte di più se c'è gente allegra.

....

5. In alcuni paesi uno si sposa molto presto.

....

Lessico nuovo: –

I. Completate le frasi secondo il senso:

1. La barba .... in modo più rapido con il rasoio   (fare)
   elettrico.

2. Per avere un aspetto pulito, la barba .... ogni giorno. (fare)

3. A differenza di altri liquori, questo .... puro.   (bere)

4. Le persone intelligenti .... subito.   (riconoscere)

5. Gli antibiotici .... ad intervalli regolari.   (prendere)

Lessico nuovo: -

A questo punto Lei conosce
1982 parole italiane

Marco: Al prossimo distributore dobbiamo fermarci a fare
benzina.

Sergio: Con l'occasione farò controllare anche l'olio e l'acqua.

Marco: Speriamo che non ci sia la fila. *Dovendo* aspettare
sotto il sole, moriremo dal caldo!

Sergio: Stavo pensando proprio a questo. *Avendo viaggiato* per
tante ore, sarebbe il caso di fare una sosta al bar, dove
c'è sicuramente l'aria condizionata.

Marco: Se ci riposiamo un po', io approfitterei per avvertire
Angela che stiamo per arrivare. Se ricordo bene, il
prefisso è 02, vero?

Sergio: Sì, ma sarà difficile trovare gettoni o spiccioli.

Marco: Non c'è problema! *Dopo aver avuto* diverse esperienze
negative, ho preso l'abitudine di portare sempre con
me una scheda magnetica.

Sergio: Eccoci *arrivati!* Sento che anche il motore ha bisogno
di riposarsi: l'ho spinto al massimo.

Marco: *Fatti* i conti, fra pieno e olio non te la caverai con
meno di 60.000 lire. Non ti converrebbe comprare una
macchina con motore diesel?

Sergio: Recentemente stavo per farlo, ma poi ci ho ripensato,
perché la tassa di circolazione è molto alta.

Marco: Con tutti i chilometri che fai tu e *tenendo* conto del
fatto che il gasolio costa la metà della benzina, ti
conviene senz'altro.

Sergio: *Dando* indietro questa, ricaverei al massimo due
milioni. *Sacrificando* tutti i risparmi, arriverei a otto
milioni: che ci faccio?

Marco: Potresti trovare un'auto di seconda mano, anche se
non di grossa cilindrata.

Sergio: *Provata* una macchina con motore diesel, uno se la
tiene per anni.

Marco: Qualcuno potrebbe decidere di cambiare la propria
macchina di piccola cilindrata con una più potente.

Sergio: In ogni caso bisognerebbe conoscere il proprietario
per sapere come l'ha tenuta.

Marco: Mi sorge il dubbio che tu stia cercando dei pretesti
per non separarti dalla tua macchina.

Sergio: Chissà che in fondo tu non abbia ragione?

Lessico nuovo: ventiquattresimo - automobile - distributore - olio - sosta -
approfittare - scheda - magnetico - motore - spingere - convenire -
recentemente - ripensare - gasolio - ricavare - sacrificare - cilindrata -
proprietario - pretesto.
Termini tecnici: implicito.

ventiquattresima unità
(unità numero ventiquattro)

le forme implicite (gerundio, infinito, participio)

II   *Ora ripetiamo insieme:*

- Dovendo aspettare sotto il sole, moriremo dal caldo!

- Stavo pensando proprio a questo.

- Approfitterei per avvertire Angela che stiamo per arrivare.

- Fatti i conti, non te la caverai con meno di 60.000 lire.

- Recentemente stavo per farlo, ma poi ci ho ripensato.

- Sacrificando tutti i risparmi, arriverei a otto milioni: che ci faccio?

- Provata una macchina con motore diesel, uno se la tiene per anni.

- Mi sorge il dubbio che tu stia cercando dei pretesti per non separarti

  dalla tua macchina.

III   *Rispondete alle seguenti domande:*

1. Fermandosi al prossimo distributore, cosa pensa di fare Sergio?
2. Quando si fermano, cosa vorrebbe fare Marco?
3. Perché potrà fare la telefonata anche se non troverà gettoni o spiccioli?
4. Cosa suggerisce Marco a Sergio?
5. Cosa gli risponde Sergio?
6. Perché, secondo Marco, a Sergio conviene comprare una macchina con motore diesel?
7. Cosa gli risponde Sergio?
8. Dopo aver sentito gli argomenti di Sergio, come conclude il discorso Marco?

IV   *Le forme implicite.*

A. Il gerundio semplice.

Nell'unità 11 abbiamo visto che il gerundio semplice si usa per costruire le forme perifrastiche.
Esaminiamo ora tutte le altre sue funzioni, premettendo che questo modo viene usato normalmente se il *soggetto* della frase principale e della frase dipendente *è lo stesso*.

Lessico nuovo: funzione.

1. Forme del gerundio semplice.

−ARE   *−ERE*
−ANDO   *−ENDO*

(io)	Aspett*ando*		morirò		Legg*endo*	so	
(tu)	Aspett*ando*		morirai		Legg*endo*	sai	cosa
(lui)	Aspett*ando*	sotto	morirà	dal	Legg*endo*	sa	succede
(noi)	Aspett*ando*	il	moriremo	caldo.	Legg*endo* i gior-	sappiamo	nel
(voi)	Aspett*ando*	sole,	morirete		Legg*endo* nali,	sapete	mondo.
(loro)	Aspett*ando*		moriranno		Legg*endo*	sanno	

−IRE
−ENDO

(io)	Usc*endo*		arriverò	
(tu)	Usc*endo*		arriverai	
(lui)	Usc*endo*	subito,	arriverà	in tempo.
(noi)	Usc*endo*		arriveremo	
(voi)	Usc*endo*		arriverete	
(loro)	Usc*endo*		arriveranno	

ESSERE   AVERE
ESSENDO   *AVENDO*

2. Usi del gerundio semplice.

Il gerundio semplice (chiamato anche "presente" nelle grammatiche italiane) non esprime il tempo di un'azione, ma il *rapporto di tempo* fra due azioni. Tale rapporto è di *contemporaneità* rispetto all'azione del verbo principale al *presente*, al *passato* o al *futuro*:

a. Mentre fa   i conti, si accorge di avere speso troppo.   *PRESENTE*

    Facendo

b. Mentre faceva   i conti, si accorse di avere speso troppo.   *PASSATO*

    Facendo

Lessico nuovo: –

c.

Mentre farà	
Facendo	i conti, si accorgerà di avere speso troppo.

FUTURO

$$\text{\textit{facendo} i conti} = \text{mentre } \begin{array}{c} \text{fa} \\ \text{faceva} \\ \text{farà} \end{array} \text{ i conti}$$

Oltre che un rapporto di tempo, il gerundio semplice può esprimere anche un rapporto di *causa,* una *condizione,* o *il modo* in cui un'azione si svolge.

(Perché?)

Essendo
Poiché è

in pensione, il signor Martini ha molto tempo libero.

(A quale condizione?)

Parlando
Se tu parlassi

di più con la gente, impareresti prima la lingua.

(Come?) Laura mantiene la pelle giovane

usando
con l'usare

creme di ottima qualità.

Attenzione!

In pochi casi, quando il senso della frase risulta chiaro, il gerundio semplice si usa in modo indipendente:

Tempo *permettendo,* domenica andremo al mare.
Essendo questa la situazione, c'è poco da fare.
Stando in compagnia, il tempo passa in fretta.
Riducendo il fumo, la salute ci guadagna.

Lessico nuovo: ridurre.

3. Trasformate ora le frasi secondo i modelli precedenti:

1. Mentre faccio colazione, ascolto la radio.
   ....

2. Poiché guadagna ancora poco, Giulio non può andare a vivere da solo.
   ....

3. Se chiamaste un taxi, fareste ancora in tempo al prossimo treno.
   ....

4. Con lo stare a riposo, Lei guarirà presto.
   ....

5. Mentre andava a Roma in macchina, Carlo ha visto un terribile incidente.
   ....

4. Attenzione!

a. Vedo ogni giorno Carlo, *tornando*   =   Vedo ogni giorno Carlo *mentre torno*
dal lavoro.   dal lavoro.

> io vedo - io torno

b. – – – –   Vedo ogni giorno Carlo *che torna*
                                                         dal lavoro.

> io vedo - Carlo torna

5. Completate le frasi secondo il modello:

> Ho incontrato Maria *andando* alla posta.   (io ho incontrato - io andavo)
>
> Ho incontrato Maria *che andava* alla posta.   (io ho incontrato - Maria andava)

1. Ho visto Lucia .... dalla banca.   (io ho visto - io uscivo)
2. Mi divertivo a guardare la gente ....   (io mi divertivo - la gente passeggiava)
   ....

Lessico nuovo: –

3. Sentimmo dei rumori .... dalla casa accanto.

(noi sentimmo - i rumori venivano)

4. Vidi il dottor Rossi .... il treno per Milano.

(io vidi - io aspettavo)

5. Ho incontrato spesso Giulio .... a giocare a tennis.

(io ho incontrato - Giulio andava)

B. Il gerundio composto.

Come il gerundio semplice, anche quello composto si usa normalmente se *il soggetto* della frase principale e della frase dipendente *è lo stesso.*

1. Forme del gerundio composto.

Aspettare   *Avendo aspettato* sotto il sole, muoio dal caldo.
Leggere   *Avendo letto* il giornale, sappiamo cosa è successo.
Uscire   *Essendo usciti* subito, arrivarono in tempo.

<table>
<tr><td align="center">*ESSERE*</td><td align="center">*AVERE*</td></tr>
<tr><td align="center">*essendo stato/a/i/e*</td><td align="center">*avendo avuto*</td></tr>
</table>

2. Usi del gerundio composto.

Come il gerundio semplice, anche il gerundio composto esprime *il rapporto di tempo* fra due azioni. Tale rapporto è di *anteriorità* rispetto all'azione del verbo principale al *passato*, al *futuro* o al *presente*.

a. | Quando ebbe fatto / *Avendo fatto*   i conti, si accorse di avere speso troppo. | *PASSATO*

b. | Quando avrà fatto / *Avendo fatto*   i conti, si accorgerà di avere speso troppo. | *FUTURO*

$$\text{avendo fatto i conti} = \text{quando} \begin{cases} \text{ebbe fatto} \\ \text{avrà fatto} \end{cases} \text{i conti}$$

Lessico nuovo: –

Oltre che un rapporto di tempo, il gerundio composto esprime soprattutto un rapporto di *causa* o una *condizione.* In questi casi esso esprime un rapporto di anteriorità anche rispetto all'azione del verbo principale al *presente.*

(Perché?) | *Essendo andato* / Poiché è andato | in pensione, il signor Martini ha ora molto tempo libero.

(A quale condizione?) | *Avendo parlato* / Se tu avessi parlato | di più con la gente, avresti imparato prima la lingua.

Avendo dato / Se io avessi dato | almeno uno sguardo al giornale, saprei le ultime notizie.

3. Trasformate ora le frasi secondo i modelli precedenti:

1. Ho già ascoltato diverse volte questo disco e posso dirti che è magnifico.

....

2. Marco ha visto quel film e ce lo consiglia.

....

3. Se aveste dormito più ore, vi sentireste in forma.

....

4. Poiché non eravamo mai stati a Napoli, eravamo curiosi di vederla.

....

5. Potrete dare l'esame solo se avrete frequentato il corso dall'inizio alla fine.

....

C. Il gerundio semplice e composto con i pronomi.

In entrambi i casi i pronomi seguono il verbo e formano con esso una sola parola.

Ascoltando*lo* più volte, ho notato che quel disco è perfetto.

Avendo*lo* ascoltat*o* più volte, so che quel disco è perfetto.

Lessico nuovo: sguardo.

Comprando*la* nuova, potrei tenere la macchina diversi anni.

Avendo*la* comprat*a* nuova, posso tenere questa macchina diversi anni.

Tagliando*li* spesso, Franca conserva i capelli sani.

Avendo*li* tagliat*i* spesso, Franca ha i capelli sani.

Studiando*le* da giovani, le lingue s'imparano senza troppa fatica.

Avendo*le* studiat*e* da giovani, abbiamo imparato due lingue senza troppa fatica.

Andando*ci* presto, in segreteria non dovremo fare la fila.

Essendo*ci* andat*i* presto, in segreteria non abbiamo dovuto fare la fila.

Queste pastiglie sono ottime: prendendo*ne* sei al giorno, in poco tempo mi passerà la tosse.

Queste pastiglie sono ottime: avendo*ne* pres*e* sei al giorno, in poco tempo mi è passata la tosse.

ascoltando*lo*	avendo*lo* ascoltat*o*
comprando*la*	avendo*la* comprat*a*
tagliando*li*	avendo*li* tagliat*i*
studiando*le*	avendo*le* studiat*e*
andando*ci*	essendo*ci* andat*i*
prendendo*ne*	avendo*ne* pres*e*

1. Trasformate ora le frasi secondo i modelli precedenti:

1. Siccome c'era già stato diverse volte, Marco non è andato a Parigi con gli amici.

   ....

2. Quel liquore era molto forte. Dopo che ne aveva bevuto appena due dita, Giorgio si è sentito subito girare la testa.

   ....

3. Mentre ti aspettavo, ho approfittato per dare uno sguardo al giornale.

   ....

4. Mario ha portato la macchina dal meccanico, perché ieri, mentre la guidava, ha avvertito un rumore strano.

   ....

5. Questa saponetta è di pessima qualità: dopo che l'ho usata per un breve periodo, mi trovo con la pelle completamente secca.

   ....

Lessico nuovo: –

V

1. Trasformate le frasi, usando la forma conveniente del gerundio:

1. Se accendi la lampada, ci vedi meglio.

   ....

2. Quando ha detto addio al lavoro, Laura era convinta di non avere più problemi.

   ....

3. Mentre andavamo all'aeroporto, ci siamo accorti di aver lasciato a casa i biglietti.

   ....

4. Se si amano gli animali, non si dovrebbe essere d'accordo con i cacciatori.

   ....

5. Siccome abitano al decimo piano, i nostri amici sono nei guai quando l'ascensore non funziona.

   ....

2. Come sopra:

1. Dopo che aveva ballato tutta la sera, Marta non aveva nemmeno la forza di stare in piedi.

   ....

2. Poiché aveva dimenticato le chiavi di casa, per entrare Franco ha dovuto aspettare che ritornasse sua moglie.

   ....

3. Siccome era caduta sulla neve, Giulia dovette stare a riposo per qualche tempo.

   ....

4. Dopo che ebbe dato una rapida occhiata a quell'appartamento, Franco consigliò a Sergio di comprarlo.

   ....

5. Dato che sono stati per diversi anni in Inghilterra, i nostri amici parlano fluentemente l'inglese.

   ....

Lessico nuovo: –

3. Come sopra:

1. Siccome c'è poca luce, le fotografie non riuscirebbero bene.

   ....

2. Queste sigarette sono leggere, ma se ne fumi tante non ti passerà la tosse.

   ....

3. Poiché l'abbiamo mangiata a pranzo, a cena salteremo la pasta.

   ....

4. Siccome l'ho visitato più volte, so quanto è povero quel paese.

   ....

5. Se l'aveste seguita da vicino, avreste capito quanto era complicata quella vicenda.

   ....

VI   *L'infinito e il participio.*

1. Oltre che con il gerundio, il rapporto di tempo fra due azioni si esprime anche con l'infinito e con il participio passato:

a.   **al futuro**

Dopo che avrò finito questo corso, potrò iscrivermi al corso medio.
Avendo finito questo corso, potrò iscrivermi al corso medio.
Dopo aver finito questo corso, potrò iscrivermi al corso medio.
Finito questo corso, potrò iscrivermi al corso medio.

                                                   al passato

Dopo che avevo finito quel corso, ho potuto iscrivermi al corso medio.
Avendo finito quel corso, ho potuto iscrivermi al corso medio.
Dopo aver finito quel corso, ho potuto iscrivermi al corso medio.
Finito quel corso, ho potuto iscrivermi al corso medio.

	avendo finito
Dopo aver finito il corso =	dopo che avrò finito
	dopo che avevo finito

Lessico nuovo: iscriversi.

> avendo finito
> *Finito* il corso = dopo che avrò finito
> dopo che avevo finito

b.   **al futuro**

Dopo che sarà guarit*a* dall'influenza, Anna dovrà fare una cura per lo
stomaco.

Essendo guarit*a* dall'influenza, Anna dovrà fare una cura per lo
stomaco.

Dopo essere guarit*a* dall'influenza, Anna dovrà fare una cura per lo
stomaco.

Guarit*a* dall'influenza, Anna dovrà fare una cura per lo
stomaco.

al passato

Dopo che era guarit*a* dall'influenza, Anna ha dovuto fare una cura per lo
stomaco.

Essendo guarit*a* dall'influenza, Anna ha dovuto fare una cura per lo
stomaco.

Dopo essere guarit*a* dall'influenza, Anna ha dovuto fare una cura per lo
stomaco.

Guarit*a* dall'influenza, Anna ha dovuto fare una cura per lo
stomaco.

> essendo guarit*a*
> *Dopo essere guarit*a   = dopo che sarà guarit*a*
> dopo che era guarit*a*

> essendo guarit*a*
> *Guarit*a dall'influenza = dopo che sarà guarit*a*
> dopo che era guarit*a*

Lessico nuovo: –

1. Trasformate ora le frasi secondo i modelli precedenti:

1. Carlo ha concluso l'affare che gli interessava e poi è partito per una vacanza.

   ....

2. Quando avrete capito come funziona quella macchina, potrete fare da soli.

   ....

3. Dopo che aveva passato un anno in Italia, John parlava fluentemente l'italiano.

   ....

4. Quando avrai finito il denaro che ti ho dato, potrai chiedermene altro.

   ....

5. Ho accompagnato Franco in centro e poi sono tornato a casa.

   ....

c. Altri usi dell'infinito.

A dire il vero, non ho ben capito cosa vuoi che io faccia.
Uno si stanca *a camminare* per queste salite.
A pensarci bene, conviene avere una macchina con motore diesel.
A sentire lui, il problema non esiste.
A sentirla parlare, Maria sembra fiorentina.

Nota: Anche nel caso dell'infinito, il pronome segue il verbo e forma con esso una sola parola.

d. Accordo del participio passato con il soggetto e con l'oggetto.

Il participio passato dei verbi transitivi si accorda con l'oggetto.
Il participio passato dei verbi intransitivi si accorda, invece, con il soggetto.

Finit*o* quest*o* cors*o*, potrò iscrivermi al corso medio.
Finit*a* *la* lezion*e*, andrò al bar a bere un caffè.
Finit*i* *i* sold*i*, scriverò a mio padre perché me ne mandi altri.
Finit*e* *le* vacanze, tornerò al lavoro più riposato.

Partit*o* Mari*o*, andai anch'io in vacanza.
Partit*a* Luci*a*, andai anch'io in vacanza.
Partit*i* *i* mie*i* amic*i*, andrò anch'io in vacanza.
Partit*e* *le* mi*e* amich*e,* andrò anch'io in vacanza.

Lessico nuovo: salita - riposato.

1. Trasformate ora le frasi secondo i modelli precedenti:

1. Dopo aver fatto i conti, Marco si accorse di avere speso troppo.

   ....

2. Dopo che Maria era arrivata a Milano, è cominciato lo sciopero dei treni.

   ....

3. Dopo che erano salite nell'autobus, le due ragazze hanno scoperto che non era quello giusto.

   ....

4. Dopo aver chiarito la faccenda, Sergio e Lucio tornarono ad essere amici più di prima.

   ....

5. Dopo aver preso le medicine, si sentirà subito meglio, signora.

   ....

e. Attenzione!

Con i verbi "vedere" e "sentire", si usa il gerundio nel caso di soggetti uguali. Si usa, invece, l'infinito quando i soggetti sono diversi.

Vedo ogni giorno Carlo, *tornando* dal lavoro.	= Vedo ogni giorno Carlo *mentre torno* dal lavoro.

$$\boxed{\text{io vedo - io torno}}$$

Vedo ogni giorno Carlo *tornare* dal lavoro.	= Vedo ogni giorno Carlo *che torna* dal lavoro.

$$\boxed{\text{io vedo - lui torna}}$$

Sento Luisa *suonare* il pianoforte.	= Sento Luisa *che suona* il pianoforte.

$$\boxed{\text{io sento - lei suona}}$$

Lessico nuovo: –

VII

1. Trasformate le frasi usando l'infinito o il participio:

1. Dopo che ebbe preso lo stipendio, Gianna corse a comprare un vestito nuovo.

2. Quel giorno vidi Carla che piangeva di gioia.

3. All'improvviso sentimmo i bambini che gridavano e corremmo a vedere cosa era successo.

4. Infine, dopo che eravamo usciti dall'ingorgo, ci rendemmo conto che non saremmo arrivati puntuali.

5. Dopo aver strappato la tessera del partito, Franco non ha più voluto occuparsi di politica.

2. Completate le frasi con la conveniente forma implicita, secondo il senso:

1. .... a secco, quei pantaloni sono tornati come nuovi.   (lavare)

2. .... la speranza di trovare un posto migliore,   (perdere)
   Luisa si è rassegnata a fare un lavoro che non le piace.

3. .... di notte si corrono più rischi.   (viaggiare)

4. .... questo disco, devo ammettere che è fatto   (risentire)
   molto bene.

5. .... con lui, sembra che sia il capo.   (parlare)

VIII

A. Raccontate il contenuto del dialogo introduttivo, completando il seguente testo:

Marco propone a Sergio .... a fare benzina al primo ....
Sergio gli risponde che .... farà controllare anche l'olio e l'acqua.
Aggiunge che, ... per tante ore, sarebbe il caso di fare una ....
.... al bar, dove sicuramente c'è .... Marco dice che
allora approfitterebbe .... Angela che loro .... Secondo
Sergio sarà difficile trovare .... o ...., ma per Marco non
è un .... Infatti, dopo .... diverse esperienze negative, ha
preso .... di portare sempre con sé una .... Poiché, ...
.... i conti, Sergio non se la .... con meno di 60.000 lire,
Marco gli chiede se non .... comprare una macchina ....
diesel.

Lessico nuovo: –

Sergio risponde che recentemente ...., ma poi ci ....
Marco insiste a dire che .... tutti i chilometri che fa e ....
conto del fatto che il .... costa la metà .... benzina, gli ......
.... senz'altro.
Sergio osserva che, ... indietro la macchina che ha e ....
tutti i risparmi, arriverebbe a otto milioni, somma non sufficiente per
comprare una macchina con motore diesel. Continua .... altri
argomenti e alla fine Marco dice che gli .... il dubbio che lui ....
.... dei pretesti per non .... dalla sua macchina.
Sergio conclude .... che forse Marco .... ragione.

B. I pro e i contro della macchina.

Pietro : Mi pare che gli uomini d'oggi abbiano fatto addirittura un mito
della macchina; ormai quasi nessuno si muove a piedi, sicché nelle
città non si circola più.

Gianni: Devi ammettere che la macchina offre dei grossi vantaggi rispetto
ai mezzi pubblici: si arriva esattamente dove si vuole e si va veloci.

Pietro : E i problemi dell'inquinamento dove li metti?

Gianni: Insomma, se ho ben capito, tu contesti in pieno l'uso della
macchina?

Pietro : No, è falso. Io sono contro il suo uso eccessivo e non contro la
macchina in se stessa.

Gianni: Ebbene, per spostarsi in città si potrebbe anche fare a meno della
macchina, ma se si deve andare da una città all'altra, con il treno
non si arriva mai.

Pietro : Tu dimentichi che però in treno si può dormire, si può leggere,
non ci si stanca a guidare e all'arrivo si è freschi e riposati.

Gianni: Non nego che tu abbia ragione, ma ormai non si torna indietro.

1. Rispondete alle domande:

1. Perché, secondo Pietro, nelle città non si circola più?

2. Quali sono, secondo Gianni, i vantaggi della macchina?

3. Pietro contesta in pieno l'uso della macchina?

4. Perché, secondo Gianni, non si può fare a meno della macchina per
andare da una città all'altra?

5. Quali sono, secondo Pietro, i vantaggi del treno?

Lessico nuovo: insistere - pro - mito - circolare (v.) - veloce - inquinamento - contestare -
eccessivo - ebbene - negare.

IX   *Rispondete alle seguenti domande:*

1. Lei che tipo di macchina ha?

2. La Sua macchina va a benzina o richiede un altro carburante?

3. Se ha esperienza di macchine con motore diesel, descriva quali ne sono i vantaggi.

4. Nel Suo paese il prezzo dei vari carburanti è uguale?

5. Lei tiene la macchina per anni o preferisce cambiarla spesso?

X   *Test*

A. Completate le frasi con le forme implicite convenienti:

1. Se continui a fare il numero di seguito, prima o poi lo troverai libero.

   ....

2. Poiché non hanno ricevuto l'aumento richiesto, gli operai hanno deciso di entrare in sciopero.

   ....

3. Poiché è stato fatto da un artigiano del passato, questo mobile ha un grande valore.

   ....

4. Se facessi quel lavoro per il dottor Renzi, riceveresti un buon compenso.

   ....

5. Quando si vive in provincia, si possono curare di più i rapporti sociali.

   ....

6. Dopo aver conosciuto più da vicino quella ragazza, ho cambiato opinione sul suo conto.

   ....

7. Poiché ha sentito degli strani dolori al petto, l'ingegner Massi è corso subito dal medico.

   ....

8. Se aumentano le tasse si verifica una riduzione dei guadagni.

   ....

9. Dopo che la guerra era finita, ci sono voluti molti anni per ricostruire le città più colpite.

   ....

10. Siccome portano anche la cronaca di altre regioni, alcuni giornali si assicurano una diffusione più ampia.

   ....

Lessico nuovo: carburante.

B. Completate le frasi con le forme implicite, facendo attenzione ai pronomi:

1. Se l'avessi saputo prima, ti avrei avvertito per tempo.

   ....

2. Siccome li avevamo già provati, eravamo sicuri che questi vini vi sarebbero piaciuti.

   ....

3. Poiché all'andata l'avevo spinto al massimo, al ritorno ho lasciato riposare il motore.

   ....

4. Se potessimo cambiarla, sceglieremmo una sede più ampia.

   ....

5. Se vi sedete davanti, ci vedete e ci sentite meglio.

   ....

6. Con il proibirlo nei locali pubblici, il governo ha voluto ridurre gli effetti negativi del fumo.

   ....

7. Se uno lo fa contro voglia, qualsiasi lavoro può risultare pesante.

   ....

8. Se gliela spediamo oggi stesso, la lettera gli arriverà in tempo utile.

   ....

9. Mentre se ne andava, Giorgio ci ha detto che era rimasto deluso della compagnia.

   ....

10. Poiché si è assunto la responsabilità dell'incidente, Marco non può più tirarsi indietro, anche se la colpa non è solo sua.

   ....

C. Completate le frasi con le convenienti forme del participio o dell'infinito:

1. .... sinceri, non ci sembra che l'affare sia conveniente. (essere)
2. .... la patente, Carlo si è fatto comprare subito la   (prendere) macchina dai genitori.
3. .... i principali quotidiani, sapremo qual è l'opinione   (leggere) dei vari partiti su questo grave fatto.
4. .... i lavoratori, i sindacati non fanno abbastanza   (sentire) per la difesa dei loro interessi.
5. .... le somme, dovemmo ammettere che la giornata   (tirare) non era stata del tutto positiva.

Lessico nuovo: –

D. Completate i dialoghi con la conveniente forma perifrastica:

1. Franca si è già alzata?
   No, ... ancora.   (dormire)

2. A quest'ora i negozi sono già chiusi?
   Non ancora, ma ....   (chiudere)

3. Che fa il bambino che sta così zitto?
   .... il programma preferito alla tv.   (guardare)

4. Perché devi correre a casa?
   Non vedi? .... un temporale e ho   (scoppiare)
   lasciato tutte le finestre aperte.

5. Dici sul serio?
   No, ...   (scherzare)

E. Fate il XIV test.

Lessico nuovo: –

A questo punto Lei conosce
2018 parole italiane

Anna è ricoverata all'ospedale a seguito di un incidente d'auto. Mentre attraversava la strada sulle strisce, una macchina l'ha investita in pieno insieme ad un altro pedone. Nella caduta ha riportato ferite alla testa, alle braccia e alle gambe.

Accanto a lei c'era anche Rita, sua sorella, la quale per fortuna è rimasta illesa.

Appena appresa la notizia, Carla vuole che Rita le racconti come è successo l'incidente e come sta Anna.

Carla: Con tutte quelle ferite, Anna soffre molto?

Rita : Credo di sì, ma lei ha molto coraggio. Ripete sempre: "Non preoccupatevi per me! Le ferite alla pelle mi bruciano un po', ma nel complesso sto bene. Se penso che mi sarei potuta rompere la testa, ringrazio il cielo per come sono andate le cose".

Carla: Qual è la prognosi?

Rita : Il medico con cui ho parlato ha detto: "Cadendo a terra, la ragazza ha battuto la testa, ma dalle radiografie non sembra che il colpo abbia prodotto danni gravi. Anche le ferite alle braccia e alle gambe sono lievi. Dunque, se non ci saranno complicazioni, la ragazza guarirà entro un mese".

Carla: Immagino che ad Anna non piaccia l'idea di stare tutto questo tempo lontana da casa.

Rita : Infatti ha detto ai nostri genitori: "Non so come farò a resistere tanto tempo in questo ambiente. Oggi, per fortuna, è venuta a farmi compagnia una ragazza della mia età che sta nella stanza accanto. Però domani uscirà, così io non avrò nessuno con cui parlare quando non ci siete voi".

Carla: A proposito, ti ha chiesto di me e degli altri amici?

Rita : Come no! Mi ha detto: "Di' a tutti di venire a trovarmi, così mi sentirò meno infelice". Mi ha chiesto anche: "Hai avvertito Giulio che mi trovo in ospedale?"

Lessico nuovo: venticinquesimo - pedone - striscia - investire - caduta - riportare - illeso - apprendere - complesso - prognosi - radiografia - colpo - produrre - danno - lieve - resistere - stanza - infelice.

venticinquesima unità
(unità numero venticinque)

il discorso diretto e indiretto

Carla: Mi pare giusto che in cima ai suoi pensieri ci sia Giulio. È il suo ragazzo, e per di più vive in un'altra città.

Rita : È bene che Giulio venga presto. Potrà aiutarci a seguire le cose con l'assicurazione.

Carla: Perché? Il conducente della macchina che ha investito Anna non ha fatto la denuncia?

Rita : Sì, l'ha fatta il giorno stesso e l'ha firmata in mia presenza; ma sai, se uno non sta dietro alle cose, l'assicurazione non ha nessun interesse a pagare subito.

Carla: Il conducente ha ammesso che la colpa dell'incidente era solo sua?

Rita : Sì, l'ha dichiarato anche alla polizia che è arrivata poco dopo. Ha detto: "Quando all'incrocio ho visto un gruppo di pedoni che attraversava, ho tentato di frenare in tempo, ma non ci sono riuscito. So che c'è il limite di velocità, ma se i freni avessero funzionato come al solito, l'incidente non sarebbe accaduto".

Carla: Nella disgrazia, avete avuto la fortuna di trovare una persona corretta, per cui non c'è bisogno di ricorrere all'avvocato.

Rita : Consoliamoci così!

II   *Ora ripetiamo insieme:*

- Con tutte quelle ferite, Anna soffre molto?

- Se penso che mi sarei potuta rompere la testa, ringrazio il cielo per come sono andate le cose.

- Se non ci saranno complicazioni, la ragazza guarirà entro un mese.

- A proposito, ti ha chiesto di me e degli altri amici?

- Mi pare giusto che in cima ai suoi pensieri ci sia Giulio.

- Il conducente della macchina che ha investito Anna non ha fatto la denuncia?

- Nella disgrazia, avete avuto la fortuna di trovare una persona corretta.

- Consoliamoci così!

Lessico nuovo: - cima - assicurazione - conducente - denuncia - dichiarare - polizia - incrocio - gruppo - tentare - frenare - velocità - freno - disgrazia - consolarsi.

III   *Rispondete alle seguenti domande:*

1. Perché Anna è ricoverata all'ospedale?
2. Cosa si è fatta cadendo?
3. Come sta ora?
4. In quanto tempo guarirà?
5. Il conducente della macchina che ha investito Anna ha fatto la denuncia?
6. Ha ammesso che la colpa dell'incidente era solo sua?
7. In quale caso, secondo lui, l'incidente non sarebbe accaduto?
8. Cosa dice l'amica di Rita e di Anna a proposito di questo incidente?

IV   *Il discorso diretto e indiretto.*

Nel dare un quadro generale dei cambiamenti che si verificano nel passaggio dal discorso diretto al discorso indiretto, intendiamo raggiungere anche un secondo scopo: ricapitolare tutti gli argomenti grammaticali visti nelle precedenti unità.

1. Le azioni dipendono da un verbo principale al presente.

Se il verbo principale è al presente, o al passato legato al presente, nel passaggio dal discorso diretto (DD) al discorso indiretto (DI) **cambiano**:
- i pronomi personali (*io, noi* e *tu, voi*), se non sono riferiti a chi racconta;
- i possessivi (*mio, nostro* e *tuo, vostro*), se non sono riferiti a chi racconta;
- l'imperativo.

DD   Rita dice: "Così *io* non avrò nessuno con cui parlare quando non ci siete *voi*".

DI   Rita dice   che così *lei* non avrà nessuno con cui parlare quando non ci sono *loro*.

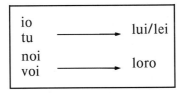

Lessico nuovo: cambiamento - ricapitolare - grammaticale.

DD Rita dice: "Il conducente ha firmato la denuncia in *mia* presenza".

DI Rita dice che il conducente ha firmato la denuncia in *sua* presenza.

DD Rita dice loro: "*Non preoccupatevi* per me!"

DI Rita dice loro *di non preoccuparsi* per lei.

imperativo ⎯⎯⎯→ DI + infinito

2. Le azioni dipendono da un verbo principale al passato.

A. Se il verbo principale è ad un tempo passato non legato al presente, (passato prossimo, passato remoto, imperfetto), nel passaggio dal DD al DI **cambiano:**

1. I pronomi personali *(io, tu, noi, voi)*, se non sono riferiti a chi racconta:

DD Rita ha detto: "Così *io* non avrò nessuno con cui parlare quando non ci siete *voi*".

DI Rita ha detto che così *lei* non avrebbe avuto nessuno con cui parlare quando non c'erano *loro*.

Lessico nuovo: –

2. I possessivi (*mio, tuo, nostro, vostro*), se non sono riferiti a chi racconta:

DD Rita ha detto: "Il conducente ha firmato la denuncia in *mia* presenza".

DI Rita ha detto che il conducente aveva firmato la denuncia in *sua* presenza.

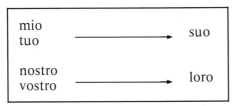

| mio
tuo | suo |
| nostro
vostro | loro |

3. L'avverbio di luogo *qui (qua)*:

DD Carla ha detto: "Non so come farò a stare tanto tempo *qui*".

DI Carla ha detto che non sapeva come avrebbe fatto a stare tanto tempo *lì*.

| qui (qua) | lì (là) |

4. Il dimostrativo *questo*:

DD Carla ha detto: "Non so come farò a stare tanto tempo in *questo* ambiente".

DI Carla ha detto che non sapeva come avrebbe fatto a stare tanto tempo in *quell*'ambiente.

| questo | quello |

5. Gli avverbi di tempo *ora, oggi, domani, ieri*:

DD Rita ha detto: "*Ora* ringrazio   il cielo per come sono andate le cose".

DI Rita ha detto che *allora* ringraziava il cielo per come erano andate le cose.

Lessico nuovo: –

DD Carla ha detto: *"Ora* sto bene".

DI Carla ha detto che *in quel momento* stava bene.

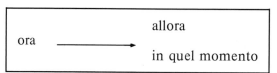

| ora | → | allora |
| | | in quel momento |

DD Carla ha detto: *"Oggi* mi ha fatto compagnia una ragazza della mia età".

DI Carla ha detto che *quel giorno* le aveva fatto compagnia una ragazza della sua età.

| oggi | → | quel giorno |

DD Carla ha detto: "Però *domani* la ragazza uscirà".

DI Carla ha detto che però *il giorno dopo* la ragazza sarebbe uscita.

| domani | → | il giorno dopo |

DD Rita ha detto: *"Ieri* Carla ha avuto un incidente d'auto".

DI Rita ha detto che *il giorno prima* Carla aveva avuto un incidente d'auto.

| ieri | → | il giorno prima |

6. La preposizione *fra:*

DD Il medico ha detto: *"Fra* un mese circa, la ragazza potrà tornare a casa".

DI Il medico ha detto che *dopo* un mese circa, la ragazza sarebbe potuta tornare a casa.

| fra | → | dopo |

Lessico nuovo: –

7. *Il presente* (indicativo e congiuntivo):

DD Anna ha detto: "Nel complesso *sto*   bene".

DI Anna ha detto che   nel complesso *stava* bene.

DD Carla ha detto: "*Immagino* che questa idea non le *piaccia*".

DI Carla ha detto che *immaginava* che quell'idea   non le *piacesse.*

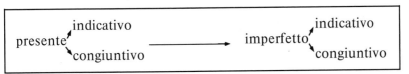

8. *Il futuro e il condizionale semplice:*

DD Anna ha detto: "Non so come *farò* a resistere".

DI Anna ha detto che non sapeva come *avrebbe fatto* a resistere.

DD Anna ha detto: "*Vorrei* vedere tutti gli amici".

DI Anna ha detto che *avrebbe voluto* vedere tutti gli amici.

```
futuro
                  ─────────────────▶   condizionale composto
condizionale
semplice
```

9. *Il perfetto* (passato prossimo e passato remoto) *ed il passato congiuntivo:*

DD Il conducente ha detto: "*Ho tentato* di frenare, ma *non ci sono riuscito*".

DI Il conducente ha detto che *aveva tentato* di frenare, ma *non c'era riuscito.*

DD Rita ha detto: "Il conducente *dichiarò* alla polizia che la colpa era solo sua".

DI Rita ha detto che   il conducente *aveva dichiarato* alla polizia che la colpa era solo sua.

Lessico nuovo: –

DD Il medico ha detto: "Non sembra che il colpo *abbia prodotto* danni gravi".

DI Il medico ha detto che non sembrava che il colpo *avesse prodotto* danni gravi.

```
perfetto                            indicativo
                    ──────────▶  trapassato
congiuntivo                          congiuntivo
passato
```

10. *L'imperativo:*

DD Anna ripeteva loro: *"Non preoccupatevi per me!"*

DI Anna ripeteva loro *di non preoccuparsi* per lei.

DD Il medico ha detto a Rita: *"Stia* tranquilla per sua sorella!".

DI Il medico ha detto a Rita *di stare* tranquilla per sua sorella.

```
imperativo   ──────────▶  DI + infinito
```

11. Il verbo *venire:*

DD Anna ha detto a Rita: "Di' a tutti gli amici di *venire* a trovarmi!"

DI Anna ha detto a Rita di dire a tutti gli amici di *andare* a trovarla.

```
venire   ──────────▶  andare
```

12. I verbi che dipendono da *chiedere* e *domandare:*

DD Carla ha chiesto a Rita: "Qual *è* la prognosi?"

DI Carla ha chiesto a Rita quale *fosse* la prognosi.
                              (era)

Lessico nuovo: –

DD Anna ha chiesto a Rita: "*Hai avvertito* Giulio che mi trovo in
                                                          ospedale?"

DI Anna ha chiesto a Rita se *avesse avvertito* Giulio che lei si trovava in
                                (aveva avvertito)   in ospedale.

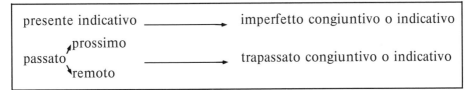

presente indicativo ─────────→ imperfetto congiuntivo o indicativo

passato ⟨ prossimo
          remoto ─────────→ trapassato congiuntivo o indicativo

Nota: Se nel discorso diretto c'è un verbo al futuro, nel discorso indiretto
       questo diventa condizionale composto:

DD Chiesi a Maria: "Quando *tornerà* Paolo?

DI Chiesi a Maria quando *sarebbe tornato* Paolo.

DD Chiesi a Lucia: "*Verrà* anche Giulio?"

DI Chiesi a Lucia se *sarebbe venuto* anche Giulio.

futuro ─────────→ condizionale composto

B. Nel passaggio dal DD al DI **non cambiano:**

1. I pronomi personali *lui, lei, loro:*

DD Rita ha detto: "*Lui* ha firmato la denuncia in mia presenza".

DI Rita ha detto che *lui* aveva firmato la denuncia in sua presenza.

DD Anna ha detto: "Di' a *loro* di venire a trovarmi!"

DI Anna ha detto di dire a *loro* di andare a trovarla.

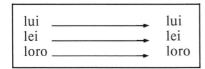

lui ─────────→ lui
lei ─────────→ lei
loro ─────────→ loro

Lessico nuovo: –

2. I possessivi *suo* e *loro*:

DD Carla ha detto: "Al momento dell'incidente, accanto ad Anna c'era anche *sua* sorella".

DI Carla ha detto che al momento dell'incidente, accanto ad Anna c'era anche *sua* sorella.

DD Anna ha detto: "La *loro* presenza mi farà sentire meno infelice".

DI Anna ha detto che la *loro* presenza l'avrebbe fatta sentire meno infelice.

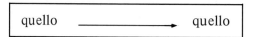

suo ──────────→ suo
loro ──────────→ loro

3. Gli avverbi di luogo *lì, là:*

DD Rita ha detto: "Vado *lì (là)* ogni volta che posso".

DI Rita ha detto che andava *lì (là)* ogni volta che poteva.

lì ──────────→ lì
là ──────────→ là

4. Il dimostrativo *quello*:

DD Carla ha chiesto: "Con tutte *quelle* ferite, Anna soffre molto?"

DI Carla ha chiesto se con tutte *quelle* ferite, Anna soffrisse molto.

quello ──────────→ quello

5. Gli avverbi di tempo *allora, in quel momento:*

DD Lui ha detto: "*Allora* i freni non hanno funzionato come al solito".

DI Lui ha detto che *allora* i freni non avevano funzionato come al solito.

Lessico nuovo: –

DD Carla ha detto: "*In quel momento* c'era anche Rita".

DI Carla ha detto che *in quel momento* c'era anche Rita.

allora	allora
in quel momento	in quel momento

6. Le espressioni di tempo *quel giorno, il giorno prima, il giorno dopo:*

DD Carla ha detto: "*Quel giorno* Anna ha avuto un incidente d'auto".

DI Carla ha detto che *quel giorno* Anna aveva avuto un incidente d'auto.

DD Carla ha detto: "*Il giorno prima* eravamo uscite insieme".

DI Carla ha detto che *il giorno prima* erano uscite insieme.

DD Carla ha detto: "Ho saputo dell'incidente solo   *il giorno dopo*".

DI Carla ha detto che aveva saputo dell'incidente solo *il giorno dopo*.

quel giorno	quel giorno
il giorno prima	il giorno prima
il giorno dopo	il giorno dopo

7. *L'imperfetto* (indicativo e congiuntivo):

DD Rita ha detto: "Mentre Anna *attraversava* sulle strisce, una macchina l'ha investita".

DI Rita ha detto che mentre Anna *attraversava* sulle strisce, una macchina l'aveva investita.

DD Rita ha detto: "Carla mi ha chiesto   quale *fosse* la prognosi".

DI Rita ha detto che Carla le aveva chiesto quale *fosse* la prognosi.

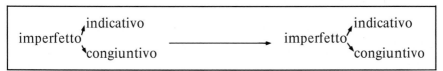

imperfetto ⟨indicativo / congiuntivo⟩ ⟶ imperfetto ⟨indicativo / congiuntivo⟩

Lessico nuovo: –

8. *Il condizionale composto:*

DD Rita ha detto: "Secondo il conducente, i freni *non avrebbero funzionato* come al solito".

DI Rita ha detto che, secondo il conducente, i freni *non avrebbero funzionato* come al solito.

---

condizionale composto ──────────→ condizionale composto

---

9. *Il trapassato* (indicativo e congiuntivo):

DD Rita ha detto: "*Avevo avvertito* Giulio, prima che Anna me lo chiedesse".

DI Rita ha detto che *aveva avvertito* Giulio prima che Anna glielo chiedesse.

DD Rita ha detto: "Anna mi ha chiesto *se avessi avvertito* Giulio".

DI Rita ha detto che Anna le aveva chiesto *se avesse avvertito* Giulio.

10. *Le forme implicite* (infinito, gerundio, participio):

DD Lui ha detto: "Ho tentato di *frenare*, ma non ci sono riuscito".

DI Lui ha detto che aveva tentato di *frenare*, ma non c'era riuscito.

DD Il medico ha detto: "*Cadendo* a terra, la ragazza ha battuto la testa".

DI Il medico ha detto che, *cadendo* a terra, la ragazza aveva battuto la testa.

DD Carla ha detto: "Appena *appresa* la notizia, sono corsa all'ospedale".

DI Carla ha detto che, appena *appresa* la notizia, era corsa all'ospedale.

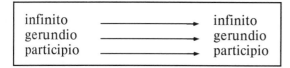

Lessico nuovo: –

11. Il verbo *andare*:

DD Anna ha detto: "Ringrazio il cielo per come *sono andate* le cose".

DI Anna ha detto che ringraziava il cielo per come *erano andate* le cose.

andare ——————→ andare

V

1. Cambiate le frasi dal discorso diretto al discorso indiretto:

1. Lucio ripeteva: "A casa mia faccio come voglio io".
   ....

2. Dissero: "Nella nostra città c'è molto meno traffico".
   ....

3. Carlo ha aggiunto: "Ve lo dico nel vostro interesse".
   ....

4. Maria gli disse: "Tu fai molte chiacchiere, ma i fatti sono pochi".
   ....

5. Giulio rispose: "Voi sbagliate a vendere la casa di campagna".
   ....

2. Come sopra:

1. Dissi a Marta: "Non puoi telefonare a Lucio a quest'ora".
   ....

2. Dissero: "Qui stiamo bene perché conosciamo tutti".
   ....

3. Anna disse: "Tutta questa roba non serve a nulla".
   ....

4. Carlo rispose: "Qua abita un mio vecchio compagno di scuola".
   ....

5. Franco aggiunse: "Non mi piacciono affatto questi modi di fare".
   ....

Lessico nuovo: –

3. Come sopra:

1. Angela gli disse: "Ora non ho tempo di ascoltarti".

2. Marta ci disse: "Oggi potete restare a pranzo da me".

3. Franco rispose: "Domani penso di andare a trovare Rita".

4. Sergio ripeté: "Soltanto ieri Paolo mi ha comunicato il nuovo indirizzo".

5. Renzo disse: "Ritelefonerò fra una settimana".

4. Come sopra:

1. Ci dissero: "Siamo troppo occupati per poter uscire con voi".

2. Gianni disse: "Credo che Luigi non abbia più la stessa macchina".

3. Carla rispose: "Aspetto l'autobus, perché non voglio andare a piedi con questo tempo".

4. Marta mi ricordò: "Il venti di questo mese Giorgio compirà diciott'anni".

5. Franco disse: "Ci scommetterei la testa che Lucia non riuscirà a smettere di fumare".

5. Come sopra:

1. Marta disse: "Finalmente oggi ho ricevuto una lettera dai miei".

2. Franco disse: "Dovetti aspettare a lungo prima di parlare con il direttore".

3. Giorgio rispose: "Ho preso la multa perché sono passato con il rosso".

4. Carla aggiunse: "Credo che loro si siano sposati in chiesa".

5. Roberto disse: "Mi dispiace che Laura si sia rotta un braccio cadendo sulla neve".

Lessico nuovo: –

6. Come sopra:

1. Pregò sua moglie: "Prepara il pranzo un po' prima del solito!"

2. Il medico gli ha consigliato: "Non beva e non fumi troppo!"

3. Anna disse a Luisa: "Cerca Luigi e digli di venire subito da me!"

4. Pregai i miei amici: "Prestatemi una guida illustrata della città!"

5. Pregammo l'impiegato: "Ci faccia la cortesia di spedirci i documenti a casa!".

7. Come sopra:

1. La polizia chiese al conducente: "Com'è successo l'incidente?"

2. Marta domandò a Lucia: "Credi davvero che lo sciopero dia risultati positivi?"

3. Lucio chiese agli amici: "Avete visto la mostra d'arte moderna che c'è stata in questi giorni?"

4. Ci hanno chiesto: "Sapete a che ora riceve il dottor Bianchi?"

5. Domandai a Luisa: "Perché hai rifiutato l'invito di Carla?"

8. Come sopra:

1. Giulia disse: "Allora lui stava sempre con loro".

2. La signora Mari disse: "In quel tempo i bambini potevano giocare liberamente per strada".

Lessico nuovo: –

3. Franco disse: "Quel giorno avrei preferito che Marco non facesse il furbo e dicesse esattamente come stavano le cose".

    ....

4. Sergio raccontò: "Il giorno prima avevo alzato troppo il gomito, per cui la mattina non ero in grado di lavorare".

    ....

5. I genitori gli dissero: "Temevamo che ti fosse successo qualcosa".

    ....

9. Come sopra:

1. Marta disse loro: "Per andare in centro bisogna prendere due autobus".

    ....

2. Lucio ripeté: "Andando a questa velocità, si consuma poca benzina".

    ....

3. Franca rispose: "Giunta a casa, sono andata subito a letto, saltando perfino la cena".

    ....

4. Maria disse: "Perduta la pazienza, Marco si è messo a gridare come un pazzo".

    ....

5. John ha detto: "Essendosi espressa in un ottimo italiano all'esame, Margaret ha ricevuto i complimenti di tutti i professori".

    ....

10. Come sopra:

1. Paola mi disse: "Ieri sono rimasta a casa perché non mi sentivo bene".

    ....

2. Carlo aggiunse: "Credo che in questo caso abbia torto Gianni".

    ....

3. Ci dissero: "Lo sciopero dei treni ci ha costretto a rimandare la partenza".

    ....

4. Laura ha detto: "Potendo scegliere, preferirei vivere in collina invece che in pianura".

    ....

Lessico nuovo: -

5. Disse loro: "Suppongo che abbiate capito male le mie parole".

....

6. Consigliarono a Marta: "Passi le vacanze su quell'isola, se vuole riposarsi davvero!"

....

7. Marco le suggerì: "Vieni anche tu a teatro, perché ne vale la pena!"

....

8. Chiesi a Lucia: "Credi davvero che la ricchezza renda felici?"

....

9. Anna rispose: "Stasera, messi a letto i bambini, scriverò alcune lettere urgenti".

....

10. Sergio concluse: "A dire la verità, non ho ancora ben chiaro cosa dovrei fare in quel caso".

....

VI   *Il periodo ipotetico nel passaggio dal DD al DI.*

Come abbiamo visto nell'unità 22 (IV.C.), quando nel discorso diretto il verbo da cui esso dipende è *al passato*, nel discorso indiretto il periodo ipotetico risulta di un *unico tipo*:

DD	*DI*

1. al futuro

a. Il medico disse: *"Se non ci saranno* complicazioni, la ragazza *guarirà* entro un mese".

b. Il medico disse: *"Se non ci fossero* complicazioni, la ragazza *guarirebbe* entro un mese".   Il medico disse che *se non ci fossero state* complicazioni, la ragazza *sarebbe guarita* entro un mese.

2. al passato

Il medico disse: *"Se non ci fossero state* complicazioni, la ragazza *sarebbe guarita* entro un mese".

Lessico nuovo: –

Osservate!

a. Se nel discorso diretto il periodo ipotetico contiene il *presente*, questo diventa *imperfetto* nel passaggio al discorso indiretto:

Anna ha detto: *"Se penso* che mi sarei potuta rompere la testa, *ringrazio* il cielo per come sono andate le cose".

Anna ha detto che *se pensava* che si sarebbe potuta rompere la testa, *ringraziava* il cielo per come erano andate le cose.

b. Se nel discorso diretto il periodo ipotetico contiene l'*imperfetto*, il *trapassato* (indicativo o congiuntivo) o il *condizionale composto,* questi non cambiano nel passaggio al discorso indiretto:

1. Lui ha detto: *"Se i freni funzionavano,* l'incidente *non accadeva".*

Lui ha detto che *se i freni funzionavano,* l'incidente *non accadeva.*

2. Lui ha detto: *"Se i freni avessero funzionato,* l'incidente *non sarebbe accaduto".*

Lui ha detto che *se i freni avessero funzionato,* l'incidente *non sarebbe accaduto.*

VII   *Cambiate le frasi dal discorso diretto al discorso indiretto:*

1. Laura gli disse: "Se avessi saputo che mi stavi aspettando, mi sarei sbrigata".

   ....

2. Dissero a Luigi: "Se verrai con noi, ti divertirai certamente".

   ....

3. Lui le disse: "Se non fossi rimasto al verde, ti avrei portato un piccolo pensiero".

   ....

4. Mi disse: "Se gli telefonerai prima delle otto di mattina, lo troverai ancora a casa".

   ....

5. Ci risposero: "Se voi prendete la birra, la prendiamo volentieri anche noi".

   ....

6. Aldo concluse: "Se fossi ricco come loro, penserei solo a godermi la vita".

   ....

7. Risposi loro: "Se non c'era la nebbia, ci mettevo molto di meno da Bologna a Milano".

   ....

Lessico nuovo: –

8. Loro osservarono: "Se Marta si fosse rivolta a noi, l'avremmo aiutata con piacere".

....

9. Lui aggiunse: "Se rivedessi quell'uomo, lo riconoscerei senza alcun dubbio".

....

10. Lui mi disse: "Se mi daranno altro lavoro, diventerò matto".

....

VIII

A. Raccontate il contenuto del dialogo introduttivo, completando il seguente testo:

Anna è .... all'ospedale .... di un incidente d'auto. Mentre attraversava la strada ...., una macchina l'ha investita ....
Nella caduta .... ferite alla testa, alle braccia e alle gambe. Accanto a lei c'era anche sua sorella, ... per fortuna è rimasta ....
Anna ripete .... per lei perché .... sta bene.
Se pensa che .... la testa, ringrazia il cielo per come sono andate le cose.
Il medico ha detto che .... a terra, Anna .... la testa, ma dalle radiografie non sembra che il colpo .... danni ....
Quando ha aggiunto che se non ...., guarirà .... un mese, Anna ha detto ai genitori che non .... come .... a resistere tanto tempo in .... ambiente.
Ha pregato Rita .... a tutti gli amici di .... a trovarla, così .... meno infelice.
Il .... dell'auto che l'ha investita ha ammesso che .... era solo sua e ha detto che se i freni .... come al solito, l'incidente non ....

B. Conversazione.

Claude: Questo fine-settimana potremmo visitare Urbino, dove né tu né io siamo ancora stati.

Mary   : È un'idea! Ci sono molte cose da vedere. Inoltre credo che gli abitanti lavorino la ceramica. In questo caso mi piacerebbe comprare qualcosa per ricordo.

Claude: Io, invece, spero di trovare degli oggetti vecchi che mi piacciono tanto.

Mary   : Penso che ormai anche la gente semplice abbia capito che le cose vecchie piacciono a molti, per cui i prezzi saranno certamente altissimi.

Claude: Se è così, mi contenterò di guardare soltanto.

Lessico nuovo: ceramica - ricordo.

1. Raccontate il contenuto del dialogo usando il discorso indiretto:

Claude ha detto a Mary che _____ _____. Lei ha risposto che _____ e che _____. Inoltre _____. Claude ha continuato dicendo che _____. Mary ha aggiunto che _____. Claude ha concluso dicendo che _____.

IX   *Rispondete alle seguenti domande:*

1. Nella Sua città succede spesso che i pedoni vengano investiti sulle strisce?

2. Cosa deve fare in questi casi il conducente dell'auto che ha investito un pedone?

3. L'assicurazione nel Suo paese è obbligatoria?

4. Di solito le compagnie di assicurazione pagano subito, o è necessario ricorrere all'avvocato?

5. Se uno ammette di avere la colpa di un incidente, il costo della sua assicurazione sale?

6. In quali casi viene ritirata la patente?

7. Ogni quanti anni viene controllato lo stato delle auto?

8. Se Lei ha avuto un incidente, racconti come si sono svolti i fatti e quali sono state le conseguenze.

X   *Test*

A. Cambiate il discorso diretto in discorso indiretto:

1. Lucia ha detto: "Ne ho fin sopra i capelli di questa storia!"

   ....

2. Paolo disse: "Oggi darò l'ultimo esame e poi partirò".

   ....

3. Disse: "Ieri sono andato a trovare i miei amici di Firenze".

   ....

4. Sabato scorso Luisa mi ha detto: "Domani resterò tutto il giorno in casa, perché voglio riposarmi".

   ....

5. Sandro disse: "Mi sarebbe piaciuto cambiare la macchina, ma non mi bastano i soldi".

   ....

6. Disse: "Credo che in questo periodo Maria non abbia un lavoro fisso".

   ....

Lessico nuovo: ritirare.

7. Dissi alla signora: "Si accomodi e faccia come se fosse a casa Sua!"

8. Maria disse: "Mi era sembrato che loro non fossero rimasti contenti del loro soggiorno qui".

9. Il medico mi disse: "Se Lei prendesse meno medicine, starebbe meglio".

10. Maria disse a Carlo: "Se tu mi avessi aiutato, a quest'ora avrei finito".

B. Come sopra:

1. Anna disse: "Oggi, andando in centro, ho incontrato Luisa".

2. John disse: "I miei genitori vorrebbero che io tornassi negli Stati Uniti".

3. Franco disse: "Persi l'occasione di vedere quel film alla tv, perché arrivai a casa troppo tardi".

4. Lucio disse: "Se loro si accorgessero che Pino non ha detto la verità, si arrabbierebbero molto".

5. Dissi a Lucia: "Ascolta quello che ti dico ora e non dimenticarlo!"

6. Lucio chiese a Mario: "Vuoi venire a pranzo a casa mia domani?"

7. Franco mi disse: "Non avevo capito che quella fosse la ragazza di Marco".

8. Prima di partire disse: "Fra due anni tornerò e ci resterò molti mesi".

9. Rita disse a Livio: "Dammi la tua macchina o accompagnami in centro, perché ho molta fretta".

10. Carlo disse a Lucia: "Se mi telefonerai, passerò a prenderti".

Lessico nuovo: –

C. Cambiate il discorso indiretto in discorso diretto:

1. Paola disse che quel giorno non poteva fare programmi, perché aspettava i suoi amici e non sapeva a che ora sarebbero arrivati.

   ....

2. Lucia pregò Franca di andare da lei e di portarle qualcosa da mangiare.

   ....

3. Mi disse poi che se fosse uscito da casa mia un minuto prima, non avrebbe perduto l'autobus.

   ....

4. Mario disse a Fred che appena avrebbe saputo notizie più precise sui corsi d'italiano all'università, gli avrebbe scritto una lunga lettera.

   ....

5. Luisa disse che le sarebbe piaciuto comprare il vestito che aveva visto in un negozio del centro, ma che non poteva, perché costava troppo.

   ....

6. Marta chiese a Lucio se sapeva dove fosse andato Carlo.

   ....

7. Risposero a Marco che avrebbero accettato il suo invito, a patto che non ci fossero molte persone.

   ....

8. Pregò la signorina di tornare il giorno dopo e di andare nel suo ufficio per ritirare il passaporto.

   ....

9. Rispose che credeva che in Italia la vita fosse più a buon mercato che nel suo paese.

   ....

10. Disse che avrebbe comprato lui i giornali tornando a casa.

   ....

D. Fate il XV test.

Lessico nuovo: –

A questo punto Lei conosce
2056 parole italiane

A) INDICE ALFABETICO DELLE PAROLE USATE NEL TESTO

Avvertenza: a) *I numeri accanto alle parole indicano le unità in cui esse sono state usate. Il numero 0 sta per "Unità introduttiva".*

b) *I sostantivi terminanti in* **-e**, *i sostantivi maschili terminanti in* **-a**, *i sostantivi femminili terminanti in* **-o** *ed i sostantivi singolari terminanti in* **-i** *sono seguiti dall'indicazione del genere (m. o f.).*

A

a 0,1,2,3,4,5,6,7,8,9,10,11,12,13,14,15,16,17,18,19,20,21,22,23,24,25
abbandonare 17,23
abbastanza 1,2,4,7,8,10,13,14,16,18,19,20,21,22,23,24
abbigliamento 9
abbracciare 5
   -rsi 10
abitante 16,23,25
abitare 1,2,3,4,8,14,15,17,20,22,24,25
abito 10,15
abitualmente 11,15,17
abituare 5,14,22
   -rsi 5,21,22,23
abitudine *(f.)* 8,14,15,23,24
acca 14,18,20,21
accadere 8,9,13,16,18,21,25
accanto 14,15,19,24,25
accendere 4,7,11,15,20,22,23,24
accento 14
accettare 5,6,7,9,11,13,16,18,19,20,21,22,25
accidenti! 16,21
accomodare 7
   -rsi 4,9,10,11,19,25
accompagnare 7,9,10,12,13,14,16,18,21,22,24,25
accordarsi 14,16,20,23,24
accordo 3,7,8,10,11,12,14,15,16,17,18,20,22,23,24
accorgersi 17,18,20,23,24,25
acqua 5,6,10,11,12,23,24
acquisto 9,14,21
adatto 14,16,18,19,20,21,22,23
addio 1,10,24
addirittura 9,24
addormentarsi 10,16,17,23
addormentato 8
addosso 21
adesso 3,6,7,11
adulto 23
aereo *(agg.)* 5,16,22,23
   (s.) 2,10,11,13,14,16,19,22,23
aeroporto 3,7,10,24
affare *(m.)* 4,8,12,14,16,22,24
affatto 7,12,13,25
affermare 13,14,15,18,20
affetto 5,14
affinché 18,20
affittare 4,6,23
affitto 1,4,6,7,8,9,15,17,18,20,21,23
afflusso 14
affollato 10,19,21
agenzia 18,21
aggiungere 12,14,15,19,22,24,25
agosto 6,8,22,23
ah! 3,10,17
aiutare 7,12,13,14,17,18,20,21,22,25
   -rsi 16
aiuto 6,11,14,21,23
albergo 2,10,12,13,14,15,16,17,18,19,20,22,23
albero 6,14,16,22,23
alcuno 3,4,7,8,9,10,11,13,14,15,16,18,19,20,21,22,23,25

alimentare *(agg.)* 9
allegro 15,18,20,23
alloggiare 14,23
alloggio 4,23
allora 1,2,5,6,7,8,9,10,11,12,13,15,17,18,19,20,21,22,23,24,25
almeno 6,7,11,12,13,17,20,23,24
alto 7,14,15,18,19,20,22,23,24,25
altrettanto 17,18
altrimenti 7,8,11,12,13,19,22,23
altro 1,5,6,7,8,9,10,11,12,13,14,15,16,17,18,19,20,21,22,23,24,25
alzare 12,18,20,21,25
   -rsi 10,15,21,23,24
amare 10,14,21,22,24
amaro 5,15
ambiente *(m.)* 20,21,25
ambito 18,20
americano 0,3,14
amico 0,1,2,3,4,5,6,7,8,9,10,11,12,13,14,15,16,17,20,21,22,23,24,25
   -a 0,8,17,22,25
ammalarsi 23
ammettere 17,21,23,24,25
ammobiliato 4,23
ampiezza 16
ampio 10,14,24
anche 0,1,2,3,4,5,6,7,8,9,10,11,12,13,14,15,16,17,18,19,20,21,22,23,24,25
ancora 1,2,4,5,6,7,8,9,10,11,12,13,14,15,16,17,18,19,20,21,22,23,24,25
andare 2,3,4,5,6,7,8,9,10,11,12,13,14,15,16,17,18,19,20,21,22,23,24,25
   -rsene 11,12,13,16,17,19,21,22,24
andata 2,19,21,24
angolo 17
animale 22,24
animo 18,20
anno 1,2,3,4,6,7,8,10,11,12,13,14,15,16,17,18,19,20,21,22,23,24,25
annoiarsi 10,11,12,13,19,21
annuncio 4,15,16,23
ansioso 20
antibiotico 23
anticipo 4,13,23
antico 10,14,16,22
antipasto 12,19
antipatico 11,15,21,22,23
anzi 18
apertamente 11,13,19,22
aperto 2,5,12,15,19,22,23,24
apparire 17
appartamento 1,4,6,8,13,14,15,16,17,18,20,21,22,24
appartenere 21
appena 3,4,6,7,8,9,10,11,15,17,18,19,20,21,22,23,24,25
appetito 2,12,13,15,17,22
apposta 22
apprendere 25
approfittare 24
approfondire 22
approvare 11,21,23
appuntamento 2,7,10,13,14,15,17
appunto! 15,23

B) INDICE DEI TERMINI TECNICI

TEST

TEST X
(da fare al termine della sedicesima unità)

Indicate con un segno (x) la frase corretta. Se non sapete qual è quella corretta, fate un segno sul [?].

1. Non credevo che Lucia si ricorderà di comprarmi i giornali, invece l'ha fatto.   [a]
   Non credevo che Lucia si sarebbe ricordata di comprarmi i giornali,
   invece l'ha fatto.   [b]
   Non credevo che Lucia si ricorderebbe di comprarmi i giornali, invece l'ha fatto.   [c]   [?]

2. Carlo ha detto che ieri è stato male tutto il giorno.   [a]
   Carlo ha detto che ieri stava male tutto il giorno.   [b]
   Carlo ha detto che ieri ha stato male tutto il giorno.   [c]   [?]

3. Nella nostra classe ci sono più ragazze di ragazzi.   [a]
   Nella nostra classe ci sono più ragazze che ragazzi.   [b]
   Nella nostra classe ci sono più ragazze come ragazzi.   [c]   [?]

4. Luisa mangia poco: è molto magra ragazza.   [a]
   Luisa mangia poco: è una ragazza molta magra.   [b]
   Luisa mangia poco: è una ragazza molto magra.   [c]   [?]

5. A chi pensi? A mia madre.   [a]
   A che pensi? A mia madre.   [b]
   A quale pensi? A mia madre.   [c]   [?]

6. Il signor Ferri va in ufficio ogni giorno a piedi.   [a]
   Il signor Ferri va in ufficio tutti giorni a piedi.   [b]
   Il signor Ferri va in ufficio ogni giorni a piedi.   [c]   [?]

7. Ci volse molto tempo per ricostruire la casa.   [a]
   Ci volle molto tempo per ricostruire la casa.   [b]
   Ci volé molto tempo per ricostruire la casa.   [c]   [?]

8. Carla è più simpatica di bella.   [a]
   Carla è più simpatica che bella.   [b]
   Carla è più simpatica quanto bella.   [c]   [?]

9. I Rossi hanno tre bambini: Giulio è il loro minore figlio.   [a]
   I Rossi hanno tre bambini: Giulio è il loro minimo figlio.   [b]
   I Rossi hanno tre bambini: Giulio è il loro figlio minore.   [c]   [?]

10. Per quel regalo Giorgio spese la metà dello stipendio.   [a]
    Per quel regalo Giorgio spendé la metà dello stipendio.   [b]
    Per quel regalo Giorgio spendette la metà dello stipendio.   [c]   [?]

11. Sai l'ora? Il mio orologio va dietro.   [a]
    Sai l'ora? Il mio orologio va indietro.   [b]
    Sai l'ora? Il mio orologio va in dietro.   [c]   [?]

12. Di quale ragazza parlate?   [a]
    Di cui ragazza parlate?   [b]
    Di chi ragazza parlate?   [c]   [?]

13. Viaggiare in treno è più comodo come in pullman.   [a]
    Viaggiare in treno è più comodo di in pullman.   [b]
    Viaggiare in treno è più comodo che in pullman.   [c]   [?]

14. Il traffico di oggi è superiore di quello di ieri.   [a]
    Il traffico di oggi è superiore che quello di ieri.   [b]
    Il traffico di oggi è superiore a quello di ieri.   [c]   [?]

15. Loro andarono al cinema, ma io decidei di restare a casa.   [a]
    Loro andarono al cinema, ma io decidetti di restare a casa.   [b]
    Loro andarono al cinema, ma io decisi di restare a casa.   [c]   [?]

16. Qualche ragazza sono già partite per le vacanze. [a]
    Qualche ragazza è già partita per le vacanze. [b]
    Qualche ragazze sono già partite per le vacanze. [c] [?]

17. Appena il professore entrò, tutti smisero di parlare. [a]
    Appena il professore entrò, tutti hanno smesso di parlare. [b]
    Appena il professore entrò, tutti smettevano di parlare. [c] [?]

18. Quella macchina mi è costata un occhio della testa. [a]
    Quella macchina mi è costata un occhio della faccia. [b]
    Quella macchina mi è costata un occhio del capo. [c] [?]

19. Mi interessa tutto che riguarda gli etruschi. [a]
    Mi interessa tutto il quale riguarda gli etruschi. [b]
    Mi interessa tutto ciò che riguarda gli etruschi. [c] [?]

20. Maria, ti è successa qualcosa? [a]
    Maria, ti è successo qualcosa? [b]
    Maria, ti ha successo qualcosa? [c] [?]

21. Quell'anno a Natale cadé tanta neve. [a]
    Quell'anno a Natale cadde tanta neve. [b]
    Quell'anno a Natale cadette tanta neve. [c] [?]

22. Il treno era pieno: ho fatto il viaggio fino a Roma in piedi. [a]
    Il treno era pieno: ho fatto il viaggio fino a Roma a piedi. [b]
    Il treno era pieno: ho fatto il viaggio fino a Roma su piedi. [c] [?]

23. Signora, posso chiederLa per un favore? [a]
    Signora, posso chiederLe un favore? [b]
    Signora, posso Le chiedere un favore? [c] [?]

24. Per prendere il primo treno ho dovuto alzarmi alle quattro. [a]
    Per prendere il primo treno mi ho dovuto alzare alle quattro. [b]
    Per prendere il primo treno sono dovuto alzarmi alle quattro. [c] [?]

25. Gianni è migliore ragazzo della classe. [a]
    Gianni è il ragazzo più migliore della classe. [b]
    Gianni è il ragazzo migliore della classe. [c] [?]

26. Franco è entrato in classe mentre il professore parlava. [a]
    Franco è entrato in classe mentre il professore ha parlato. [b]
    Franco entrava in classe mentre il professore ha parlato. [c] [?]

27. Per finire questo lavoro lo vuole dieci minuti. [a]
    Per finire questo lavoro ne vogliono dieci minuti. [b]
    Per finire questo lavoro ci vogliono dieci minuti. [c] [?]

28. Pedro è un spagnolo ragazzo. [a]
    Pedro è un ragazzo spagnolo. [b]
    Pedro è uno ragazzo spagnolo. [c] [?]

29. Prende un caffè, signora? Posso offrirGlielo io? [a]
    Prende un caffè, signora? Posso Glielo offrire io? [b]
    Prende un caffè, signora? Lo posso offrirLe io? [c] [?]

30. Per visitare il museo bisogna il biglietto. [a]
    Per visitare il museo ci vuole il biglietto. [b]
    Per visitare il museo si deve il biglietto. [c] [?]

TEST XI

(da fare al termine della diciottesima unità)

Indicate con un segno (x) la frase corretta. Se non sapete qual è quella corretta, fate un segno sul [?].

1. Carla e Gina presero i biglietti anche per le amiche. [a]
   Carla e Gina prenderono i biglietti anche per le amiche. [b]
   Carla e Gina prendettero i biglietti anche per le amiche. [c] [?]

2. Credo che domani i giornali non usciano. [a]
   Credo che domani i giornali non uscano. [b]
   Credo che domani i giornali non escano. [c] [?]

3. Sandra vuole che suo figlio tiene in ordine la camera. [a]
   Sandra vuole che suo figlio tenga in ordine la camera. [b]
   Sandra vuole che suo figlio tiena in ordine la camera. [c] [?]

4. Lo sapevo già; me l'ha detto Franco. [a]
   Lo sapevo già; mi ha detto Franco. [b]
   Lo sapevo già; me lo diceva Franco. [c] [?]

5. Appena avremo finito gli studi, cercheremo un lavoro. [a]
   Appena avremmo finito gli studi, cercheremo un lavoro. [b]
   Appena avevamo finito gli studi, cercheremo un lavoro. [c] [?]

6. I genitori sono partiti da due ore e lei ne già sente la mancanza. [a]
   lei già ci sente la mancanza. [b]
   lei già ne sente la mancanza. [c] [?]

7. È una foto di cui tengo molto. [a]
   È una foto a cui tengo molto. [b]
   È una foto per cui tengo molto. [c] [?]

8. Siamo sicuri che lo faccia volentieri. [a]
   Siamo sicuri che l'abbia fatto volentieri. [b]
   Siamo sicuri che l'ha fatto volentieri. [c] [?]

9. Stamattina Franca ha giocato a tennis per due ore. [a]
   Stamattina Franca giocava a tennis per due ore. [b]
   Stamattina Franca giocò a tennis per due ore. [c] [?]

10. Perché non sei venuta con noi? Ti avresti divertito. [a]
    Perché non sei venuta con noi? Ti saresti divertita. *riflessivo* [b]
    Perché non sei venuta con noi? Ti saresti divertito. [c] [?]

11. Spero che Anna e Carla non si dimenticino di venire stasera. [a]
    Spero che Anna e Carla non si dimentichino di venire stasera. [b]
    Spero che Anna e Carla non si dimenticano di venire stasera. [c] [?]

12. Sarà anche vero ma io non credo. [a]
    Sarà anche vero ma io non ne credo. [b]
    Sarà anche vero ma io non ci credo. [c] [?]

13. Ieri Ugo era stanco perché la notte prima non aveva dormito. [a]
    Ieri Ugo era stanco perché la notte prima non ha dormito. [b]
    Ieri Ugo era stanco perché la notte prima non dormiva. [c] [?]

14. Se volete arrivare in tempo è meglio che prendete un taxi. [a]
    Se volete arrivare in tempo è meglio che prenderete un taxi. [b]
    Se volete arrivàre in tempo è meglio che prendiate un taxi. [c] [?]

15. Bisogna che Lei sala al piano superiore. [a]
    Bisogna che Lei salga al piano superiore. [b]
    Bisogna che Lei salisca al piano superiore. [c] [?]

16. Benché piove, non fa molto freddo. [a]
    Benché piova, non fa molto freddo. [b]
    Benché pioggia, non fa molto freddo. [c]   [?]

17. Quando sono arrivato, Piero è partito da due ore. [a]
    Quando sono arrivato, Piero fu partito da due ore. [b]
    Quando sono arrivato, Piero era partito da due ore. [X]   [?]

18. Sembra che la commedia non abbia piaciuto a molti. [a]
    Sembra che la commedia non sia piaciuta a molti. [b]
    Sembra che la commedia non sia piaciuto a molti. [c]   [?]

19. Giulio non è stato (mai) all'estero. [X]
    Giulio è stato mai all'estero. [b]
    Mai Giulio non è stato all'estero. [c]   [?]

20. Il cielo è scuro: sta per crepare un temporale. [a]
    Il cielo è scuro: sta per accadere un temporale. [b]
    Il cielo è scuro: sta per scoppiare un temporale. [X]   [?]

21. Abbiamo vino bianco e vino rosso: quale preferisce? [X]
    Abbiamo vino bianco e vino rosso: che preferisce? [b]
    Abbiamo vino bianco e vino rosso: il quale preferisce? [c]   [?]

22. Sai che fine ha fatto Giulio? No, non lo so niente. [a]
    Sai che fine ha fatto Giulio? No, non ne so niente. [X]
    Sai che fine ha fatto Giulio? No, so niente. [c]   [?]

23. La città in quale abito è piuttosto piccola. [a]
    La città in che abito è piuttosto piccola. [b]
    La città in cui abito è piuttosto piccola. [X]   [?]

24. Purché gli faccia male, Piero fuma venti sigarette al giorno. [a]
    Benché gli faccia male, Piero fuma venti sigarette al giorno. [b]
    Perché gli faccia male, Piero fuma venti sigarette al giorno. [c]   [?]

25. Gli ho mandato un telegrammo proprio stamattina. [a]
    Gli ho mandato un telegramma proprio stamattina. [X]
    Gli ho mandato una telegramma proprio stamattina. [c]   [?]

26. Lucia resta a casa perché non le viene di uscire. [a]
    Lucia resta a casa perché non ne va di uscire. [b]
    Lucia resta a casa perché non le va di uscire. [X]   [?]

27. Qualunque persona, al posto mio, abbia fatto lo stesso. [a]
    Qualunque persona, al posto mio, avrebbe fatto lo stesso. [X]
    Chiunque persona, al posto mio, avrebbe fatto lo stesso. [c]   [?]

28. Quando seppe che il suo partito ebbe vinto le elezioni, saltò dalla gioia. [a]
    Quando aveva saputo che il suo partito vinse le elezioni, saltò dalla gioia. [b]
    Quando seppe che il suo partito aveva vinto le elezioni, saltò dalla gioia. [X]   [?]

29. Franco, mi raccomando, alzati prima che ritorni tuo padre! [a]
    Franco, mi raccomando, alzati prima che ritorna tuo padre! [b]
    Franco, mi raccomando, alzati prima di ritornare tuo padre! [c]   [?]

30. Luisa è partita?
    No, è dovuta partire, ma poi è rimasta a casa. [X]
    No, doveva partire, ma poi rimaneva a casa. [b]
    No, doveva partire, ma poi è rimasta a casa. [c]   [?]

TEST XII
(da fare al termine della ventesima unità)

Indicate con un segno (x) la frase corretta. Se non sapete qual è quella corretta, fate un segno sul [?].

1. Signora, mi scusa del ritardo, ma ho avuto molto da fare! [a]
   Signora, mi scusi del ritardo, ma ho avuto molto da fare! [b]
   Signora, scusami del ritardo, ma ho avuto molto da fare! [c] [?]

2. Ero certo che Gianni si laureerebbe a pieni voti. [a]
   Ero certo che Gianni si sarebbe laureato a pieni voti. [b]
   Ero certo che Gianni si laureerà a pieni voti. [c] [?]

3. Se queste cartoline ti piacciono, te le regalo. [a]
   Se queste cartoline ti piacciono, te ne regalo. [b]
   Se queste cartoline ti piacciono, le ti regalo. [c] [?]

4. Signora, abbi pazienza, è questione di pochi minuti! [a]
   Signora, hai pazienza, è questione di pochi minuti! [b]
   Signora, abbia pazienza, è questione di pochi minuti! [c] [?]

5. Domenica scorsa Carla avrebbe rimasto volentieri in montagna. [a]
   Domenica scorsa Carla rimarrebbe volentieri in montagna. [b]
   Domenica scorsa Carla sarebbe rimasta volentieri in montagna. [c] [?]

6. Da allora non sapei più nulla di Sergio. [a]
   Da allora non seppi più nulla di Sergio. [b]
   Da allora non sappi più nulla di Sergio. [c] [?]

7. Il prezzo della benzina è aumentato ancora. [a]
   Il prezzo della benzina ha aumentato ancora. [b]
   Il prezzo della benzina si è aumentato ancora. [c] [?]

8. Carla sperava tanto che tu le dessi una mano a tradurre. [a]
   Carla sperava tanto che tu le dassi una mano a tradurre. [b]
   Carla sperava tanto che tu le desti una mano a tradurre. [c] [?]

9. Anche stamattina il treno è arrivato con mezz'ora in ritardo. [a]
   Anche stamattina il treno è arrivato con mezz'ora di ritardo. [b]
   Anche stamattina il treno è arrivato con mezz'ora ritardo. [c] [?]

10. Se Suo marito dorme, non lo svegli: passerò più tardi. [a]
    Se Suo marito dorme, non lo sveglia: passerò più tardi. [b]
    Se Suo marito dorme, non svegliarlo: passerò più tardi. [c] [?]

11. Abbiamo preferito ritornare a casa prima che faceva buio. [a]
    Abbiamo preferito ritornare a casa prima che abbia fatto buio. [b]
    Abbiamo preferito ritornare a casa prima che facesse buio. [c] [?]

12. Mio padre vorrebbe tanto che mi laurei entro l'anno. [a]
    Mio padre vorrebbe tanto che mi laureerei entro l'anno. [b]
    Mio padre vorrebbe tanto che mi laureassi entro l'anno. [c] [?]

13. Quando non lo vidi arrivare temei che avesse avuto un incidente. [a]
    Quando non lo vidi arrivare temei che abbia avuto un incidente. [b]
    Quando non lo vidi arrivare temei che avrebbe un incidente. [c] [?]

14. Il treno parte alle nove: professore, ti sbrighi! [a]
    Il treno parte alle nove: professore, si sbriga! [b]
    Il treno parte alle nove: professore, si sbrighi! [c] [?]

15. Signora, sii gentile con lui: sta passando un brutto momento. [a]
    Signora, sia gentile con lui: sta passando un brutto momento. [b]
    Signora, sei gentile con lui: sta passando un brutto momento. [c] [?]

16. Signorina, potrebbe battere a macchina questa lettera? [a]
    Signorina, potrebbe battere per macchina questa lettera? [b]
    Signorina, potrebbe battere con macchina questa lettera? [c] [?]

17. Se ha una penna in più, me la presterebbe, per favore? [a]
    Se ha una penna in più, la mi presterebbe, per favore? [b]
    Se ha una penna in più, me ne presterebbe, per favore? [c] [?]

18. Non vedo Giulia da due giorni e già ci sento la mancanza. [a]
    Non vedo Giulia da due giorni e già vi sento la mancanza. [b]
    Non vedo Giulia da due giorni e già ne sento la mancanza. [c] [?]

19. Carlo, non se la prenda: tutto si sistemerà, vedrai! [a]
    Carlo, non prendertela: tutto si sistemerà, vedrai! [b]
    Carlo, non prenditela: tutto si sistemerà, vedrai! [c] [?]

20. La Sua presenza non è necessaria: vadasene pure! [a]
    La Sua presenza non è necessaria: vattene pure! [b]
    La Sua presenza non è necessaria: se ne vada pure! [c] [?]

21. Giorgio non trovò più la macchina che ebbe lasciato la sera prima sotto casa. [a]
    Giorgio non trovò più la macchina che aveva lasciato la sera prima sotto casa. [b]
    Giorgio non trovò più la macchina che lasciò la sera prima sotto casa. [c] [?]

22. Andrò a letto dopo che finirò questa lettera. [a]
    Sarò andato a letto dopo che avrò finito questa lettera. [b]
    Andrò a letto dopo che avrò finito questa lettera. [c] [?]

23. È migliore che tu rimanga: andiamo noi. [a]
    È meglio che tu rimanga: andiamo noi. [b]
    È più buono che tu rimanga: andiamo noi. [c] [?]

24. Questa birra è ottima. [a]
    Questa birra è benissima. [b]
    Questa birra è molta buona. [c] [?]

25. Giulio la si cava bene con il latino. [a]
    Giulio si cava bene con il latino. [b]
    Giulio se la cava bene con il latino. [c] [?]

26. Chi vanno piano vanno sani e vanno lontani. [a]
    Quali vanno piano vanno sani e vanno lontani. [b]
    Chi va piano va sano e va lontano. [c] [?]

27. Nel nostro ufficio ci sono più impiegate di impiegati. [a]
    Nel nostro ufficio ci sono più impiegate che impiegati. [b]
    Nel nostro ufficio ci sono più impiegate quanto impiegati. [c] [?]

28. Prego, signora, si accomodi pure! [a]
    Prego, signora, si accomoda pure! [b]
    Prego, signora, accomodisi pure! [c] [?]

29. A tutti i nostri clienti facciamo prezzi speciali. [a]
    A tutti i nostri clienti facciamo prezzi semplici. [b]
    A tutti i nostri clienti facciamo prezzi favore. [c] [?]

30. Ho alcuna idea su cosa regalare a Francesca. [a]
    Non ho alcuna idea su cosa regalare a Francesca. [b]
    Non ho alcun idea su cosa regalare a Francesca. [c] [?]

TEST XIII
(da fare al termine della ventiduesima unità)

Indicate con un segno (x) la frase corretta. Se non sapete qual è quella corretta, fate un segno sul [?].

1. Se la tua macchina non va, prendi pure la mia! [a]
   Se la tua macchina non va, prende pure la mia! [b]
   Se la tua macchina non va, prenda pure la mia! [c] [?]

2. Aveva detto che sarebbe venuto a prendermi alla stazione, e invece non l'ho visto. [a]
   Aveva detto che verrebbe a prendermi alla stazione, e invece non l'ho visto. [b]
   Aveva detto che verrà a prendermi alla stazione, e invece non l'ho visto. [c] [?]

3. In fine sei arrivata! Sono due ore che ti aspetto. [a]
   Per fine sei arrivata! Sono due ore che ti aspetto. [b]
   Finalmente sei arrivata! Sono due ore che ti aspetto. [c] [?]

4. Quella mattina il direttore era stanco perché
   la notte prima non aveva chiuso occhio. [a]
   la notte prima non chiudeva occhio. [b]
   la notte prima non ha chiuso occhio. [c] [?]

5. Per andare dai Franchi si passa per una stradolina di campagna. [a]
   Per andare dai Franchi si passa per una stradina di campagna. [b]
   Per andare dai Franchi si passa per una stradiccina di campagna. [c] [?]

6. Se costasse di meno, lo compro anche subito. [a]
   Se costerebbe di meno, lo comprerei anche subito. [b]
   Se costasse di meno, lo comprerei anche subito. [c] [?]

7. Se avessi seguito i miei consigli, ora saresti già sistemato. [a]
   Se avessi seguito i miei consigli, ora fossi stato già sistemato. [b]
   Se seguissi i miei consigli, ora saresti stato già sistemato. [c] [?]

8. Se ti piace ricevere delle cartoline,
   te le manderò qualcuna da Parigi. [a]
   gliene manderò qualcuna da Parigi. [b]
   te ne manderò qualcuna da Parigi. [c] [?]

9. Vi prego mi ascoltiate con attezione! [a]
   Vi prego di ascoltarmi con attenzione! [b]
   Vi prego che mi ascoltiate con attezione! [c] [?]

10. Non capisco il motivo per cui se ne sono andati così presto. [a]
    Non capisco il motivo per che se ne sono andati così presto. [b]
    Non capisco il motivo per quale se ne sono andati così presto. [c] [?]

11. La prendono per un'italiana, anche se sia spagnola. [a]
    La prendono per un'italiana, eppure sia spagnola. [b]
    La prendono per un'italiana, benché sia spagnola. [c] [?]

12. Come si riesce per avere una borsa di studio? [a]
    Come si riesce in avere una borsa di studio? [b]
    Come si riesce ad avere una borsa di studio? [c] [?]

13. A quanto pare, partano già per le vacanze. [a]
    A quanto pare, sono già partiti per le vacanze. [b]
    A quanto pare, siano partiti già per le vacanze. [c] [?]

14. Pare che siano già partiti per le vacanze. [a]
    Pare che sono già partiti per le vacanze. [b]
    Pare che partono già per le vacanze. [c] [?]

15. Quella sera Giulio bevette troppo e la notte stette male. [a]
    Quella sera Giulio bevve troppo e la notte stette male. [b]
    Quella sera Giulio bevve troppo e la notte statte male. [c]   [?]

16. Non mi di' che sei già stanco: è appena mezz'ora che studi. [a]
    Non dirmi che sei già stanco: è appena mezz'ora che studi. [b]
    Non dimmi che sei già stanco: è appena mezz'ora che studi. [c]   [?]

17. Quando l'ho visto in quello stato ho capito subito che
    aveva alzato il braccio. [a]
    aveva alzato la mano. [b]
    aveva alzato il gomito. [c]   [?]

18. Le dà fastidio il finestrino aperto? Le lo chiudo io! [a]
    Le dà fastidio il finestrino aperto? Te lo chiudo io! [b]
    Le dà fastidio il finestrino aperto? Glielo chiudo io! [c]   [?]

19. Bisogna che glielo dica Lei appena lo vede. [a]
    Bisogna che glielo dice Lei appena lo vede. [b]
    Lei bisogna dirglielo appena lo vede. [c]   [?]

20. Non avrei mai immaginato che possano accadere tali fatti. [a]
    Non avrei mai immaginato che potessero accadere tali fatti. [b]
    Non avrei mai immaginato che potrebbero accadere tali fatti. [c]   [?]

21. Appena ha saputo che Carla ritornerà, le ha subito telefonato. [a]
    Appena ha saputo che Carla era ritornata, le ha subito telefonato. [b]
    Appena ha saputo che Carla ritornò, le ha subito telefonato. [c]   [?]

22. Il prezzo di queste scarpe è un po' altino. [a]
    Il prezzo di queste scarpe è un po' alticcio. [b]
    Il prezzo di queste scarpe è un po' altuccio. [c]   [?]

23. Venite a cena da noi domani sera?
    Sì, se mio marito torna in tempo, venissimo senz'altro. [a]
    Sì, se mio marito torna in tempo, verremmo senz'altro. [b]
    Sì, se mio marito torna in tempo, verremo senz'altro. [c]   [?]

24. I Rossi abitano di fronte all'ufficio postale. [a]
    I Rossi abitano in fronte all'ufficio postale. [b]
    I Rossi abitano a fronte dell'ufficio postale. [c]   [?]

25. Posso entrare? Prego, dottore, accomodisi! [a]
    Posso entrare? Prego, dottore, si accomodi! [b]
    Posso entrare? Prego, dottore, si accomoda! [c]   [?]

26. Siamo sicuri che domani il tempo sarà bello. [a]
    Siamo sicuri che domani sarà il tempo bello. [b]
    Siamo sicuri che domani il tempo farà bello. [c]   [?]

27. Farei subito il bagno, se il mare sarebbe calmo. [a]
    Facessi subito il bagno, se il mare sarebbe calmo. [b]
    Farei subito il bagno, se il mare fosse calmo. [c]   [?]

28. Il marito di Giovanna è tornato a casa ubriaco fradicio. [a]
    Il marito di Giovanna è tornato a casa ubriaco cotto. [b]
    Il marito di Giovanna è tornato a casa ubriaco zeppo. [c]   [?]

29. Ho provato diverse volte e per fine ci sono riuscito. [a]
    Ho provato diverse volte e nella fine ci sono riuscito. [b]
    Ho provato diverse volte e alla fine ci sono riuscito. [c]   [?]

30. Pagando tutto subito, potessi avere uno sconto? [a]
    Pagando tutto subito, potrei avere uno sconto? [b]
    Pagando tutto subito, sarei potuto avere uno sconto? [c]   [?]

TEST XIV
(da fare al termine della ventiquattresima unità)

Indicate con un segno (x) la frase corretta. Se non sapete qual è quella corretta, fate un segno sul [?].

1. Franco è rimasto contento del regalo che gli hai fatto. [a]
   Franco è rimasto contento con il regalo che gli hai fatto. [b]
   Franco è rimasto contento del regalo che lo hai fatto. [c] [?]

2. Piero è venuto assunto alla Fiat. [a]
   Piero è andato assunto alla Fiat. [b]
   Piero è stato assunto alla Fiat. [c] [?]

3. La notizia non si va diffusa prima di domattina. [a]
   La notizia non deve essere diffusa prima di domattina. [b]
   La notizia non si deve essere diffusa prima di domattina. [c] [?]

4. Come la giacca gli piaceva, l'ha comprata subito. [a]
   Siccome la giacca gli piaceva, l'ha comprata subito. [b]
   Perché la giacca gli piaceva, l'ha comprata subito. [c] [?]

5. Se tu mi dessi una mano, finirei prima. [a]
   Se tu mi dassi una mano, finirei prima. [b]
   Se tu mi desti una mano, finirei prima. [c] [?]

6. Preferirei che tu restassi a casa. [a]
   Preferirei che tu resti a casa. [b]
   Preferirei che tu resteresti a casa. [c] [?]

7. Appena lo sentì piangente, la mamma corse a prenderlo. [a]
   Appena lo sentì piangendo, la mamma corse a prenderlo. [b]
   Appena lo sentì piangere, la mamma corse a prenderlo. [c] [?]

8. Piero va in ufficio tutti giorni a piedi. [a]
   Piero va in ufficio ogni giorno a piedi. [b]
   Piero va in ufficio ogni giorni a piedi. [c] [?]

9. Lavandola a secco, questa gonna è tornata come nuova. [a]
   Avendola lavata a secco, questa gonna è tornata come nuova. [b]
   Averla lavata a secco, questa gonna è tornata come nuova. [c] [?]

10. Dopo che ebbe preso lo stipendio, Gianna andò a comprarsi un vestito nuovo. [a]
    Dopo che ebbe preso lo stipendio, Gianna è andata a comprarsi un vestito nuovo. [b]
    Dopo che prese lo stipendio, Gianna è andata a comprarsi un vestito nuovo. [c] [?]

11. Le lezioni sono state tenute da un giovane professore. [a]
    Le lezioni sono state tenute per un giovane professore. [b]
    Le lezioni sono state tenute di un giovane professore. [c] [?]

12. È un problema che non è potuto risolvere facilmente. [a]
    È un problema che non si può risolvere facilmente. [b]
    È un problema che non può si risolvere facilmente. [c] [?]

13. Il raffreddore si prende più spesso a inverno. [a]
    Il raffreddore si prende più spesso con inverno. [b]
    Il raffreddore si prende più spesso d'inverno. [c] [?]

14. Per riparare la casa si è speso quattro milioni. [a]
    Per riparare la casa si sono spesi quattro milioni. [b]
    Per riparare la casa si ha speso quattro milioni. [c] [?]

15. Viaggiando si conosce molta gente. [a]
    Viaggiando si conoscono molte gente. [b]
    Viaggiando uno conosce molte gente. [c] [?]

16. I documenti importanti vanno spediti da raccomandata. [a]
    I documenti importanti vanno spediti in raccomandata. [b]
    I documenti importanti vanno spediti per raccomandata. [c]   [?]

17. Se si ha tempo libero, ci si può dedicare ad un hobby. [a]
    Se si ha tempo libero, si ci può dedicare ad un hobby. [b]
    Se si ha tempo libero, può si dedicare ad un hobby. [c]   [?]

18. Quando si supera un esame, si è felice. [a]
    Quando si supera un esame, si è felici. [b]
    Quando uno supera un esame, si è felice. [c]   [?]

·19. Me lo è stato raccontato da Paolo. [a]
    Lo è stato raccontato da Paolo. [b]
    Mi è stato raccontato da Paolo. [c]   [?]

20. Dalla finestra della camera vedo i bambini che vanno a scuola. [a]
    Dalla finestra della camera vedo i bambini andando a scuola. [b]
    Dalla finestra della camera vedo i bambini andanti a scuola. [c]   [?]

21. Se fosti davvero stanca, non andresti a ballare. [a]
    Se saresti davvero stanca, non andresti a ballare. [b]
    Se fossi davvero stanca, non andresti a ballare. [c]   [?]

22. Sono convinto che Carlo anche stavolta la caverà. [a]
    Sono convinto che Carlo anche stavolta se la caverà. [b]
    Sono convinto che Carlo anche stavolta ce la caverà. [c]   [?]

23. Che fosse una persona distratta, lo sapevano tutti. [a]
    Che è stato una persona distratta, lo sapevano tutti. [b]
    Che è una persona distratta, lo sapevano tutti. [c]   [?]

24. Luisa mangia poco, perciò è una molto magra ragazza. [a]
    Luisa mangia poco, perciò è una ragazza molta magra. [b]
    Luisa mangia poco, perciò è una ragazza molto magra. [c]   [?]

25. Quando si raggiunge il proprio scopo, ci si sente soddisfatto. [a]
    Quando si raggiunge il proprio scopo, ci si sente soddisfatti. [b]
    Quando si raggiunge il proprio scopo, si sente soddisfatto. [c]   [?]

26. Dopo d'aver avuto la notizia, telefonò a Giulio. [a]
    Avuta la notizia, telefonò a Giulio. [b]
    La notizia avuta, telefonò a Giulio. [c]   [?]

27. A causa dello sciopero degli aerei
        si hanno cancellato diversi voli. [a]
        sono stati cancellati diversi voli. [b]
        si hanno cancellati diversi voli. [c]   [?]

28. Non mi fermerei qui se non sarei tanto stanco. [a]
    Non mi fermassi qui se non sarei tanto stanco. [b]
    Non mi fermerei qui se non fossi tanto stanco. [c]   [?]

29. Quando si ha dei figli, si è sempre un po' preoccupato. [a]
    Quando si hanno dei figli, si è sempre un po' preoccupati. [b]
    Quando uno ha dei figli, si è sempre un po' preoccupato. [c]   [?]

30. Avendolo già visto, so che si tratta di un buon film. [a]
    Avendo vistolo già, so che si tratta di un buon film. [b]
    L'avendo visto già, so che si tratta di un buon film. [c]   [?]

TEST XV
(da fare al termine del corso)

Indicate con un segno (x) la frase corretta. Se non sapete qual è quella corretta, fate un segno sul [?].

1. Fred è un studente americano. [a]
   Fred è un'americano studente. [b]
   Fred è uno studente americano. [c]   [?]

2. Io esco alle 7, voi quando uscite? [a]
   Io esco alle 7, voi quando escite? [b]
   Io usco alle 7, voi quando uscite? [c]   [?]

3. Comincio a studiare alle nove. [a]
   Comincio di studiare alle nove. [b]
   Comincio studiare alle nove. [c]   [?]

4. Ho un terribile mal di denti: devo andare al dentista. [a]
   Ho un terribile mal di denti: devo andare per il dentista. [b]
   Ho un terribile mal di denti: devo andare dal dentista. [c]   [?]

5. Il nostro appartamento ha due camere per letto. [a]
   Il nostro appartamento ha due camere a letto. [b]
   Il nostro appartamento ha due camere da letto. [c]   [?]

6. Questo aereo va nei Stati Uniti. [a]
   Questo aereo va negli Stati Uniti. [b]
   Questo aereoo va in Stati Uniti. [c]   [?]

7. Gianni è arrivato con il treno delle sette. [a]
   Gianni è arrivato in treno delle sette. [b]
   Gianni è arrivato con treno delle sette. [c]   [?]

8. È due anni che cerco un lavoro. [a]
   Sono due anni che cerco un lavoro. [b]
   Da due anni che cerco un lavoro. [c]   [?]

9. Dove ha nato, signorina? [a]
   Dove è nata, signorina? [b]
   Dove è nasciuta, signorina? [c]   [?]

10. Signora, sono queste le Sue chiavi? [a]
    Signora, sono queste le Sue chiave? [b]
    Signora, sono questi i Suoi chiavi? [c]   [?]

11. I signori Pini porteranno anche la sua figlia. [a]
    I signori Pini porteranno anche loro figlia. [b]
    I signori Pini porteranno anche la loro figlia. [c]   [?]

12. Mario e Franca sono partiti a Roma. [a]
    Mario e Franca sono partiti in Roma. [b]
    Mario e Franca sono partiti per Roma. [c]   [?]

13. Quanto tempo rimanerai in questa città? [a]
    Quanto tempo rimarrai in questa città? [b]
    Quanto tempo rimarai in questa città? [c]   [?]

14. Ieri abbiamo restato a casa tutto il giorno. [a]
    Ieri siamo restati a casa tutto il giorno. [b]
    Ieri restavamo a casa tutto il giorno. [c]   [?]

15. Vuole una sigaretta? No, grazie, oggi ne ho fumate troppe. [a]
    Vuole una sigaretta? No, grazie, oggi le ho fumate troppe. [b]
    Vuole una sigaretta? No, grazie, oggi ho fumate troppe. [c]   [?]

16. Ho conosciuto Sandro quando lavorava in banca. [a]
    Conoscevo Sandro quando lavorava in banca. [b]
    Ho conosciuto Sandro quando ha lavorato in banca. [c]   [?]

17. Durante aspettavo il treno, leggevo tutto il giornale. [a]
    Mentre ho aspettato il treno, leggevo tutto il giornale. [b]
    Mentre aspettavo il treno, ho letto tutto il giornale. [c]   [?]

18. Ragazzi, vi è piaciuto il film? [a]
    Ragazzi, siete piaciuti il film? [b]
    Ragazzi, vi ha piaciuto il film? [c]   [?]

19. Quando vedo Paolo, lo domando se ci presta la macchina. [a]
    Quando vedo Paolo, gli domando se ci presta la macchina. [b]
    Quando vedo Paolo, le domando se ci presta la macchina. [c]   [?]

20. Anche questo mese i soldi non mi sono bastati. [a]
    Anche questo mese i soldi non mi hanno bastati. [b]
    Anche questo mese i soldi mi non sono bastati. [c]   [?]

21. Se non ha più sigarette, Le ne posso offrire una io! [a]
    Se non ha più sigarette, Gliene posso offrire una io! [b]
    Se non ha più sigarette, Gliela posso offrire una io! [c]   [?]

22. Hanno spento le luci: lo spettacolo è per cominciare! [a]
    Hanno spento le luci: lo spettacolo va cominciare! [b]
    Hanno spento le luci: lo spettacolo sta per cominciare! [c]   [?]

23. Tua sorella attraversa un momento difficile: stalle vicino! [a]
    Tua sorella attraversa un momento difficile: stagli vicino! [b]
    Tua sorella attraversa un momento difficile: le stà vicino! [c]   [?]

24. Marcella non pensa che al matrimonio;
        si sposerà anche domani. [a]
        si sposerebbe anche domani. [b]
        si sposa anche domani. [c]   [?]

25. In trattoria, di solito, uno si spende poco. [a]
    In trattoria, di solito, si ci spende poco. [b]
    In trattoria, di solito, si spende poco. [c]   [?]

26. Sono andato da Stefano perché sapevo che a quell'ora
        lo troverei a casa. [a]
        l'avrei trovato a casa. [b]
        lo troverò a casa. [c]   [?]

27. Per questo esame Laura si è dovuta preparare in venti giorni. [a]
    Per questo esame Laura si ha dovuto preparare in venti giorni. [b]
    Per questo esame Laura è dovuta prepararsi in venti giorni. [c]   [?]

28. Non ho fiducia in che parla solo di sé. [a]
    Non ho fiducia in chi parla solo di sé. [b]
    Non ho fiducia in cui parla solo di sé. [c]   [?]

29. Carlo è capitato qui a Pisa e non si è fatto vedere. [a]
    Carlo è successo qui a Pisa e non si è fatto vedere. [b]
    Carlo è accaduto qui a Pisa e non si è fatto vedere. [c]   [?]

30. Nella nostra classe ci sono più ragazze di ragazzi. [a]
    Nella nostra classe ci sono più ragazze come ragazzi. [b]
    Nella nostra classe ci sono più ragazze che ragazzi. [c]   [?]

31. Ci volse molto denaro per riparare l'auto. [a]
    Ci volle molto denaro per riparare l'auto. [b]
    Ci volé molto denaro per riparare l'auto. [c]   [?]

32. Di quale ragazzo parlate?
    Di cui ragazzo parlate?
    Di chi ragazzo parlate?

    [a]
    [b]
    [c]   [?]

33. Qualche ragazza sono già partite per le vacanze.
    Qualche ragazza è già partita per le vacanze.
    Qualche ragazze sono già partite per le vacanze.

    [a]
    [b]
    [c]   [?]

34. Credo che domani i giornali non usciano.
    Credo che domani i giornali non uscano.
    Credo che domani i giornali non escano.

    [a]
    [b]
    [c]   [?]

35. Eravamo sicuri che lo facesse volentieri.
    Eravamo sicuri che l'abbia fatto volentieri.
    Eravamo sicuri che lo faceva volentieri.

    [a]
    [b]
    [c]   [?]

36. Ieri Pia era stanca perché la notte prima non aveva dormito.
    Ieri Pia era stanca perché la notte prima non ha dormito.
    Ieri Pia era stanca perché la notte prima non dormiva.

    [a]
    [b]
    [c]   [?]

37. Purché gli faccia male, Piero fuma venti sigarette al giorno.
    Benché gli faccia male, Piero fuma venti sigarette al giorno.
    Poiché gli faccia male, Piero fuma venti sigarette al giorno.

    [a]
    [b]
    [c]   [?]

38. Signora, è questione di pochi minuti; abbi pazienza!
    Signora, è questione di pochi minuti; hai pazienza!
    Signora, è questione di pochi minuti; abbia pazienza!

    [a]
    [b]
    [c]   [?]

39. Carla sperava tanto che tu le dessi una mano a tradurre.
    Carla sperava tanto che tu le dassi una mano a tradurre.
    Carla sperava tanto che tu le desti una mano a tradurre.

    [a]
    [b]
    [c]   [?]

40. Abbiamo preferito ritornare a casa prima che faceva buio.
    Abbiamo preferito ritornare a casa prima che abbia fatto buio.
    Abbiamo preferito ritornare a casa prima che facesse buio.

    [a]
    [b]
    [c]   [?]

41. Quella mattina il direttore era stanco:
    la notte prima non aveva chiuso occhio.
    la notte prima non chiudeva occhio.
    la notte prima non ha chiuso occhio.

    [a]
    [b]
    [c]   [?]

42. La prendono per un'italiana, anche se sia spagnola.
    La prendono per un'italiana, eppure sia spagnola.
    La prendono per un'italiana, benché sia spagnola.

    [a]
    [b]
    [c]   [?]

43. Per andare dai Pieri si passa per una stradolina di campagna.
    Per andare dai Pieri si passa per una stradina di campagna.
    Per andare dai Pieri si passa per una stradiccina di campagna.

    [a]
    [b]
    [c]   [?]

44. Quella sera Giulio bevette troppo e la notte stette male.
    Quella sera Giulio bevve troppo e la notte stette male.
    Quella sera Giulio bevve troppo e la notte steste male.

    [a]
    [b]
    [c]   [?]

45. Farei subito il bagno, se il mare sarebbe calmo.
    Facessi subito il bagno, se il mare sarebbe calmo.
    Farei subito il bagno, se il mare fosse calmo.

    [a]
    [b]
    [c]   [?]

46. La notizia non si va diffusa prima di domattina.
    La notizia non deve essere diffusa prima di domattina.
    La notizia non si deve essere diffusa prima di domattina.

    [a]
    [b]
    [c]   [?]

47. Dalla finestra della camera vedo i bambini che giocano.
    Dalla finestra della camera vedo i bambini giocando.
    Dalla finestra della camera vedo i bambini stando giocare.

    [a]
    [b]
    [c]   [?]

48. Quando si ottiene ciò che si desidera, ci si sente soddisfatto. [a]
    Quando si ottiene ciò che si desidera, ci si sente soddisfatti. [b]
    Quando si ottiene ciò che si desidera, si sente soddisfatto. [c] [?]

49. Dopo di aver appreso la notizia, telefonò a Cesare. [a]
    Appresa la notizia, telefonò a Cesare. [b]
    La notizia appresa, telefonò a Cesare. [c] [?]

50. Avendolo letto, so che si tratta di un bel romanzo. [a]
    Avendo lettolo, so che si tratta di un bel romanzo. [b]
    L'avendo letto, so che si tratta di un bel romanzo. [c] [?]

NOTE

Indice analitico

Unità	Funzioni linguistiche	Strutture linguistiche	Pag.
21. *Venerdì 17*	Parlare della superstizione, mettendo in rapporto il fenomeno generale con casi particolari - Esprimere dubbio, supposizione, sorpresa - Richiedere conferma di ciò che è stato capito da un discorso - Portare esempi - Riferire ciò che ha detto una persona	La concordanza dei modi e dei tempi	385
22. *Tempo libero e divertimenti*	Parlare del modo preferito di passare il tempo libero - Formulare ipotesi al futuro e al passato, usando diverse strutture linguistiche - Esprimere i concetti di piccolo, caro, grande, brutto, cattivo, aggiungendo le appropriate terminazioni a sostantivi, aggettivi e avverbi	Il periodo ipotetico - forme alterate di sostantivi, aggettivi e avverbi	399
23. *Una visita medica*	Parlare dei sintomi che si avvertono quando si è malati - Chiedere al medico informazioni circa la malattia che si ha e le medicine da prendere - Modelli di lingua abituali quando si va in farmacia e dal dentista - Esprimere il concetto di necessità o dovere	Forma passiva - Forma impersonale (2) - "Si passivante" - I diversi valori della particella "si"	419
24. *Automobile, che passione!*	Parlare dei vantaggi di avere un certo tipo di macchina - Modelli di lingua abituali quando si viaggia in macchina e ci si ferma ad una stazione di servizio - Parlare dei pro e dei contro della macchina	Le forme implicite (gerundio, infinito, participio)	451
25. *Vita dura per i pedoni!*	Riferire come si è svolto un investimento - Informarsi sulle condizioni di una persona investita da un'auto e sul comportamento di chi l'ha investita - Riferire i discorsi di altri	Il discorso diretto e indiretto	471